テクノロジーは神か悪魔か

2030 未来への分岐点 Ⅱ

NHKスペシャル取材班
［編著］

NHK出版

2030 未来への分岐点 Ⅱ
テクノロジーは神か悪魔か

NHKスペシャル取材班［編著］

NHK出版

はじめに

私たち人類は、いま未来を決める大切な分岐点の前に立たされている。

飽くなき資源の大量消費、人口爆発と食料問題、そして加速する温暖化……人類の活動は、地球の運命を左右し始めている。さらにはＡＩやバイオ工学など、止めどなく進化を続ける最先端のテクノロジーも、使い方を誤れば人類にとって大きなリスクになる可能性を孕（はら）んでいる。

私たちが直面する、こうした世界的な課題において重大な分岐点になると言われているのが、２０３０年。つまり、私たちがこの10年、これらの問題にどう向き合うかが人類の未来を決定付けるほど重要になるのだ――。

われわれ取材班は、こうしたメッセージを発信するために、ＮＨＫスペシャル・シリーズ「２０３０　未来への分岐点」（２０２１年1月～7月放送）の制作にあたった。

本書は、このシリーズのうち、〈Season 2〉として放送した第4回「〝神の領域〟への挑戦 ゲノムテクノロジーの光と影」（2021年7月11日放送）という二つの番組の内容をベースに再構成したものである。書籍化にあたっては、番組ではすべてを紹介することが叶わなかった取材成果を、可能な限り盛り込むことを目指した。

本書に先立つ同シリーズ書籍化の第Ⅰ巻『持続可能な世界は築けるのか』では、〈Season 1〉として放送した「地球温暖化」「水・食料危機」、そして「プラスチック汚染」について取り上げた。2030年をターゲットイヤーとする国連の「持続可能な開発目標（SDGs）」に密接に関わるこれらの課題を解決していくためには、飽くなき資源の浪費を前提としてきたこれまでの社会システムを抜本的に変革することが必要になる。そして、それを実現するために、重要な役割を果たすと期待されているのが、最先端テクノロジーだ。

とりわけ、本書で取り上げるゲノムテクノロジーとAIは、汎用性が極めて高く、未来を変えるさまざまな可能性を秘めている代表的な技術と言えるだろう。ゲノムテクノロジーは、農業や医療などの分野で応用が進んでいる。たとえば、世界人口が急増するなか、食料生産効率の高い品種や、温暖化に向けて高温耐性をもつ品種の開発が期待されている。AIは、エネルギー効率を高めるシステムや、持続可能なサプライチェーンなどの構築に欠かせない技術である。どちらもうまく活用していけば、地球規模の課題解決に大きく貢献していくだろう。

一方で、これらのテクノロジーは、本書の中でくわしく解説するとおり、負の側面をもち合わせている。ゲノムテクノロジーは、望んだとおりの能力を子どもにもたせる「デザイナー・ベビー」の誕生を可能にし、〝命のあり方〟を根底から変えてしまうかもしれない。AIは、戦争に利用されることで、19世紀のダイナマイトや20世紀の核兵器を凌駕（りょうが）するとも言われる軍事革命をもたらすと指摘されている。人類が欲望のままに、テクノロジーの暴走を許してしまえば、〝暗黒の未来〟が待っているのだ。


IBC（ユネスコ国際生命倫理委員会）の議長を務めるエルヴェ・シュネイヴェス氏は、本書収載のインタビューの中で、次のように語った。

「私たちはもはや（テクノロジーの）単なる消費者ではいられなくなりました。（略）2030年に何が起こるかは、私たちが2021年の今日、どのように行動するかにかかっています。私たちの負っている責任はとても大きいのです」

ゲノムテクノロジーについて言及したものだが、これはAIについても言えることであり、本書に通底するメッセージだ。

これまで私たちは、テクノロジーの「単なる消費者」でいられた。進歩を遂げる科学技術は、暮らしを便利にし、豊かなものに変えてくれた。私たちは、おおむね無条件にその恩恵を受け続けていただけだった。

　人類は、光と影を併せもつテクノロジーを次々と生み出してきた。その代表的なものは、核兵器を生み出し、原発事故をもたらした〝原子力テクノロジー〟だろう。日本で言えば、ヒロシマ・ナガサキ、そしてフクシマで、数多（あまた）の人々がその命や暮らしを奪われた。一方で、日常生活の中では原子力テクノロジーを電力として利用してきた現実がある。

　そしていま、ＡＩやゲノムテクノロジーをはじめとする最先端の科学技術は、指数関数的進化を続け、私たちが気づかないうちに次々と社会に実装され始めている。そのスピードはあまりに速く、何のために必要なのか、私たちの暮らしをどう変えるのか、考える時間さえ十分に与えてくれない。今後、それが、社会や人間のあり方を省みることなく加速していけば、テクノロジーの進化それ自体が目的となっていく危険性はないだろうか。

　オックスフォード大学、「人類の未来研究所」のニック・ボストロム所長は、われわれのインタビューに対して、次のように答えている。

「現在も私たちは、次々と（〝テクノロジーの壺（つぼ）〟から）〝球〟を取り出しているわけですが、（略）しかし、壺の中には、いまだ見ぬ〝黒い球〟が入っているかもしれません。（略）人類は〝球〟を取り出す方法、つまり、開発がかなり上手になった一方で、〝球〟を〝壺〟の中に戻す方法を知らないからです」

本書は、これらテクノロジーの現在地を示し、〝世界の賢者たち〟へのインタビューを通じて人類史的意味を考えるとともに、テクノロジーの影の部分についても考察していく。

インタビュアーには、アーティストのスプツニ子!さんを迎えた（島薗進（しまぞのすすむ）、ウィル・ローパー、中満泉（なかみついずみ）の三氏のインタビューを担当）。アメリカ・マサチューセッツ工科大学（ＭＩＴ）のメディアラボでの勤務経験があり、科学と芸術、二つの領域を横断しながら活動を続ける彼女の知性と感性が、示唆に富む多くの言葉を引き出した。

私たちは、いま何を考え行動していかなければならないのか。本書が、皆さんが立ち止まって未来に思いを巡らす一助となることを願っている。

ＮＨＫ　大型企画開発センター　チーフ・プロデューサー
松木秀文

第2部 AI戦争 果てなき恐怖

本書は、ＮＨＫスペシャル・シリーズ「２０３０　未来への分岐点」（２０２１年1月〜7月放送）の〈Season 2〉の第4回「〝神の領域〟への挑戦　ゲノムテクノロジーの光と影」（２０２１年6月6日放送）、第5回「ＡＩ戦争　果てなき恐怖」（２０２１年7月11日放送）の内容を第1部、第2部として再構成したものです。各部は、担当ディレクターが取材結果に基づいて現状を報告する「いま何が起きているのか」に始まり、各分野の動向にくわしい専門家やオピニオンリーダーへの「インタビュー」、担当ディレクターがインタビュー内容を引き取りつつ描く「未来への展望」へと展開します。巻末には、番組でインタビュアーを務めたアーティストのスプツニ子！さんの特別寄稿を収載しました。

第1部
ゲノムテクノロジーの光と影

新型コロナウイルスに感染するよう、人間の遺伝子が組み込まれたマウス。
新型コロナ対策に欠かせない実験動物として、
世界的な“ヒット商品”となっている

いま何が起きているのか

中国ゲノム編集の蠢動を追う

堀内健太（NHK報道局社会番組部）

2018年11月。われわれ取材班は中国・杭州へ向かう機中にいた。あらゆる生命の設計図（＝ゲノム）を人間の手で操作する技術、「ゲノム編集」の取材を行うためである。杭州市にあるがん治療専門の病院から、取材に応じるとの連絡を受けていた。そこでは、ゲノム編集を用いて末期がん患者を治療する、最新の臨床試験が行われているという。中国の病院は取材が難しいケースが多く、またとないチャンスである。

ところが、杭州の空港に降り立ちスマホを見ると、中国発のあるニュースが世界を駆け巡り、事態を一変させていた。それは、中国の若手研究者がYouTubeに投稿した動画についてのものだった。

「二人の美しい中国人の女の子ルルとナナが、数週間前、元気に生まれました」

「遺伝子を変えるために、少しだけタンパク質を注入しました」

南方科技大学の副教授（当時）である賀建奎氏が、ヒト受精卵の遺伝子をゲノム編集技術を用いて操作し、エイズウイルスへの耐性をもつ双子の女児を誕生させたと発表したのだ。

SNSは炎上状態だった。

中国の科学界では、得体の知れない実験が行われているのではないか――。

未知の生物が人類の脅威になる――。

新たなテクノロジーに対して、人々の理解が追いついておらず、過度にヒステリックな反応も目に付く。ゲノム編集をはじめとした、遺伝子を解析・操作する技術「ゲノムテクノロジー」は、あまり社会で議論が進んでいないテーマに思えた。

その2日後、賀建奎氏は香港で開かれた科学者の国際会議に姿を現した。賀建奎氏が発表を行うと、世界中の科学者やメディアから、倫理的問題点を巡って厳しい質問が相次いだ。この時点では発表内容の真偽は不明だったが、後日、中国政府の調査で事実だと確認され、賀建奎氏は違法医療行為の罪で逮捕。公の場から姿を消した。

ゲノム編集で双子誕生――この衝撃的なニュースを、まさにゲノム編集を取材するために訪れた中国で知ったことに、奇妙な因縁を感じざるをえなかった。

ゲノムテクノロジーは欧米を中心に発展してきた技術であるが、近年、中国で驚くべき研究成果が相次いで報告されている。中国でゲノムテクノロジーが急激に加速している背景には何があるのか。

〝事件〟から2020年までの足掛け3年。われわれは、中国を定期的に取材し、各地で加速度的に展開される最先端ゲノムテクノロジーの現実を取材することになった。

〝余命3か月〟からの生還

杭州に到着し、撮影機材の準備を進めていた取材班のもとに、1通のメッセージが届いた。翌朝から撮影を予定していたがん治療専門病院の広報担当者からのものだった。

「こちらから連絡するまで、しばらくホテルで待機していてほしい」

しかし翌日になっても、担当者からの連絡はない。日本を発つ前に撮影許可は下りており、この時点で足止めをくらう理由はないはずだ。

われわれは病院のロビーで〝出待ち〟をして、取材を受けると聞かされていた人物が現れるのを待つことにした。病院長を務める医師の呉式琇（ごしきしゅう）氏だ。しばらくすると、大柄の男性が、大勢の部下を引き連れて歩く様子が目に入った。呉氏である。取材班の存在に気づいた彼は、その場で気まずそうにうつむいた。

話を聞くと、賀建奎氏の事件を受けて、ゲノム編集に関連する情報発信を控えるように当局から連絡があったのだという。すでに到着していた取材班を受け入れるべきか、病院の幹部たちのあいだでも意見が割れているとのことだった。交渉の末、３日間だけ撮影が許されたが、取材に反対している幹部も少なくないため、取材行動は必要最小限にするようにと、釘を刺された。敷地内のあちこちには、監視カメラも設置されている。

病棟に足を踏み入れると、大勢の患者でごった返していた。初診の外来では、患者たちが列をなし、自分の症状を訴えるべくわれ先にと医師を取り囲んでいる。日本ではなかなか見られない光景だ。この病院を訪れる患者は、１年間で16万人。それでも、中国では中規模の病院だという。患者の数に驚くわれわれに対し呉氏は、中国では定期的な健康診断を受けない人も多く、末期がんまで症状が進行してから病院を訪れる患者も少なくないと説明した。

末期がん患者の治療法を研究するために、病棟のそばにラボが建てられている。

「われわれは遺伝子を操作する技術を使って、患者の体のがん細胞と闘う力を高めています」

がん患者の体内では、「キラーT細胞」と呼ばれる免疫細胞が、がん細胞と闘っている。このキラーT細胞の遺伝情報（＝ゲノム）を操作することで、がん細胞への攻撃力を高め、増殖を抑え込むというのだ。

バイオ企業から、「この治療は将来性がある」と話をもちかけられた呉氏は、必要な機材や人員を調達し、被験者はインターネットを通じて募集。これまでに20人以上の末期がん患者に対して治療が行われ、その一部に効果が見られているという。

「中国ではゲノムテクノロジーにより新しい治療法が次々に誕生し、医療を変え始めています。もし他に治療の手段がなく、まだ治療を受ける体力が残っているなら、この治療法を試す価値があるでしょう。そこには、1日でも長く生きられる希望があります」

呉氏の雄弁な話しぶりからはゲノム編集の医療への活用に対する手応えと自信が感じ取れた。

彼の案内で、被験者の一人に会うことになった。車を走らせること、2時間。取材班を出迎えてくれたのは、沈福巨（ちんふくきょ）さん。3年前に「末期の食道がんで余命3か月」と診断された。当時の沈さんのがんの診断画像を確認すると、確かにがんは食道から肝臓にまで転移している。ところが、臨床試験に参加してわずか1か月で、がんは半分以下に縮小。取材時点で、がんはコントロール可能な状態にまで回復し、日常生活を取り戻しているという。こうした治療はアメリカでも研究が進められていて、将来の実用化が期待されている。

同席した沈さんの娘によれば、食道がんを患う沈さんは別の病院に入院していたころは首が太くなり、顔も腫（は）れ上がっていたという。もう治療方法はないと告げられていたところ、偶然たどりついたのがこの病院の臨床試験だった。

「はじめは少しだけ怖かったですが、治療を頑張った結果が出て安心しています」

安堵（あんど）の表情を浮かべつつも、〝余命3か月〟からの生還に、彼女自身も驚きを隠せない様子だった。

ゲノム編集とは何か

そもそも、人間の手でゲノムを〝操作する〟ことは、どのようにして可能になるのか。ゲノム編集の基本的なメカニズムを押さえておこう。

ゲノムとは、生命の特徴や機能を、細胞レベルで決める人体の設計図である。「A（アデニン）」「G（グアニン）」「C（シトシン）」「T（チミン）」の四つの物質（塩基と呼ばれる）の配列から成り立っていると、聞いたことがある人もいるだろう。

配列ごとに役割があり、人為的に生物のかたちや特性をつくり変えるには、ゲノムのねらった場所を的確に操作する必要がある。ところが、ゲノムの塩基配列は何十億にも及ぶため、従来の技術では容易ではなかった。

この壁を打ち破り、生命科学の常識を覆したのが、カリフォルニア大学バークレー校教授のジェニファー・ダウドナ氏と、スウェーデン・ウメオ大学教授（2012年の開発当時は准教授）のエマニュエル・シャルパンティエ氏だ。「クリスパー・キャス9」と呼ばれる、ゲノム編集の新技術を開発し、2020年にノーベル化学賞を受賞した。

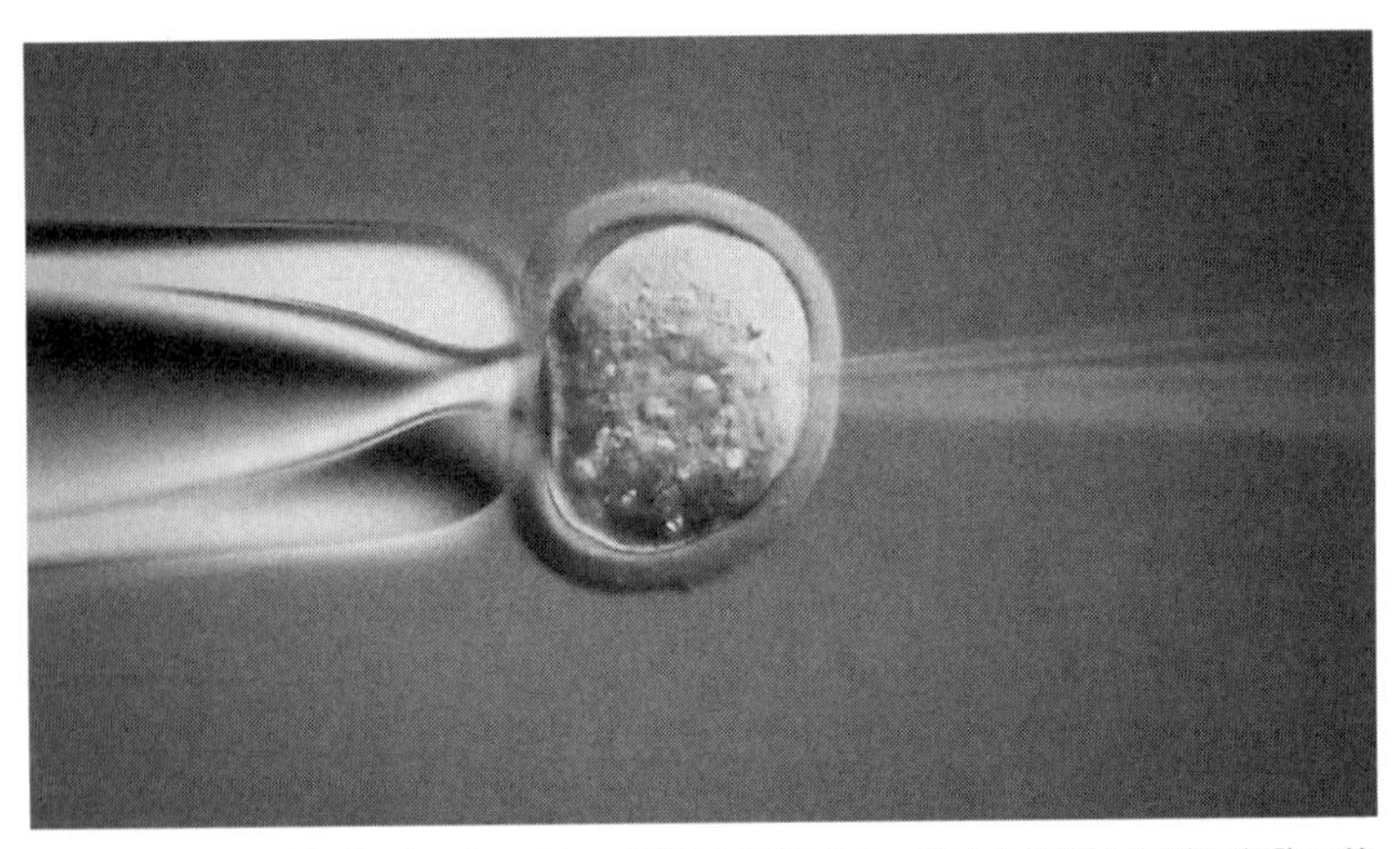

特殊なタンパク質に切断したいゲノム配列を記憶させ、新たな配列と同時に細胞に注入することで「ゲノム編集」が可能となる

二人の発見を、大胆に要約するとこうだ。まず注目したのは、チーズやヨーグルトの製造に使われる乳酸菌などがもつことで知られていた特殊なタンパク質である。[★1]このタンパク質は、特定の配列を見つけ出し、その部分を切断する能力をもっている。

この仕組みを応用すれば、ゲノムを効率よく操作できるのではないか——。タンパク質に切断したい配列を覚え込ませて細胞に注入したところ、膨大なゲノムの配列の中から目的としていた場所がピンポイントで切断された。このとき、新たな配列を同時に注入すれば、それがゲノムの中に挿入されることも明らかになった。

人間が生命のゲノムを思いどおりに書き換えることを可能にする技術として注目されたクリスパー・キャス9。ゲノム編集と呼ばれる遺伝子操作の可能性を大きく広げるものであり、また、慣れれば高校生でも扱えるという簡便さも、これまでの技術とは一線を画する点だった。

ゲノム編集の応用が特に期待されているのが、農業と医療だ。農業の分野では実用化も早く、アメリカではバイオ企業がこぞってゲノム編集を施した穀物・野菜・果物を開発中だ。収穫量の多い大豆や、ビタミンを多く含むベリーなど、高機能食材の研究も進んでいる。食料問題など地球規模の課題の解決に役立てることが期待されており、新たな産業分野になりつつある。

★1　より具体的には、乳酸菌などの細菌がウイルスなどの外敵から身を守るための免疫機構を担う酵素のことを指す。細菌は、一度侵入したウイルスのDNAと対応するRNAを産生し、そのはたらきを利用して、同じウイルスが再度侵入した際にそのDNAを切断する仕組みがある。

科技強国（かぎきょうこく）、中国

杭州市のがん治療専門病院で末期がんの治療に使われているのも、賀建奎氏が双子の女児を誕生させる際に使ったと主張したのも、クリスパー・キャス9だった。前者はがん治療に革命を起こすとして期待され、後者は科学史に世紀のスキャンダルとして刻まれた。

いったい、何がこの違いを生んだのか。呉氏に、賀建奎氏の発表をどう思うか尋ねた。

「われわれがゲノム編集によって、がん治療を行うのは、他に治療の手段がない患者が対象です。しかも、患者本人にしか影響が及びません。一方、受精卵へのゲノム編集は将来生まれる子どもに影響を与えるうえに、安全性も確立されておらず、より慎重な議論が必要です」

いま中国では、国を挙げてゲノムテクノロジーを発展させようとしている。政府は2030年までの10年で「科技強国」への歩みを進める方針を打ち出しており、ゲノムテクノロジーは成長分野の大きな柱と位置付けられている。

政府の後ろ盾を得て、中国のバイオテクノロジー産業は飛躍的な躍進を遂げた。ゲノム編集（クリスパー）に関連した特許の数を追跡すると、当初はアメリカがリードしていたが、2016年に中国が取って代わったことがわかる。

新たなテクノロジーへの期待が、産業界・国家から寄せられるなか、研究者たちの競争も過熱している。賀建奎氏の事件は、氷山の一角に過ぎないのではないか――。ゲノムテクノロジーのもたらす光が強ければ強いほど、その影もまた濃くなっていくように思えた。

ゲノム編集(クリスパー)関連の特許数の推移

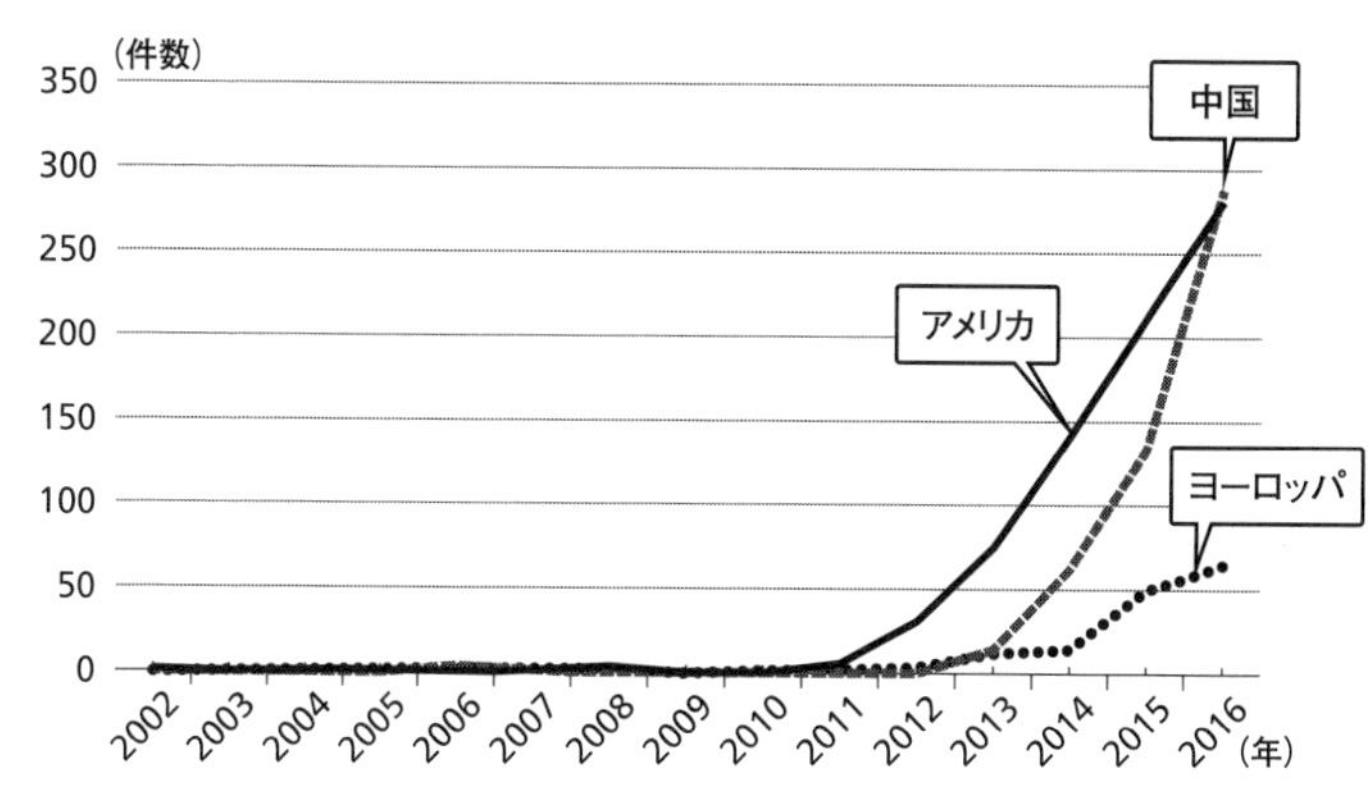

データ出典:Martin-Laffon, J., Kuntz, M.& Ricroch, A.E. Worldwide CRISPR patent landscape shows strong geographical biases. *Nature Biotechnology* 2019

〝ゲノム編集マウス〟を量産するベンチャー企業

ゲノム編集を手がけるバイオ企業のサイヤジェン社にたどり着いたのは、偶然だった。ある取材先から予定していた撮影を直前になって断られ、スケジュールに1週間の穴が空いてしまった。中国のバイオ企業に手当たり次第電話をかけていたところ、同社が取材を受けてくれた。

サイヤジェン社の拠点は、江蘇(こうそ)省東南部・蘇州(そしゅう)市の新興工業地帯にあった。ピンク色の派手なシャツとジーパンを身にまとった、社長の韓藍青(かんらんせい)氏が出迎えてくれた。いかにも〝急成長中のベンチャー企業の社長〟という出で立ちである。早速、ゲノム編集を行う現場を撮影したいと申し出ると、思わぬ言葉が返ってきた。

「いまからシャワーを浴びてもらいます。更衣室で服を全部脱いでください」

韓氏が「工場」と呼ぶ、ゲノム編集が行われる施設は、新たな生命が誕生する特別な場所なのだという。外から見る限り古びた倉庫のような建物だが、入室前にはシャワーを浴びて防護服を着たのち、特殊な設備で全身を消毒しなければならない。撮影機材の持ち込みも制限され、紫外線で殺菌処理する必要があった。

建物内部は、外観とは打って変わって、最新の機材が並ぶラボのような空間だった。防護服を着た作業員が忙しそうに廊下を行き交っている。韓氏からわれわれの案内を命じられた作業員が、幾重にも続くドアを開けて、建物の奥へと進んでいく。そして、ある場所の前で足を止めた。

「ここは動物実験が行われる部屋です。扉の向こうに、ゲノム編集を施された動物がいます」

扉を開けると、床から天井まで動物の飼育ケージが積み上げられている。1000個ほどあるだろうか。ケージの中では、おびただしい数のマウスが飼育されていた。

サイヤジェン社では、国内外の研究機関から注文を受けて、動物実験用のマウスを生産・出荷しており、筋肉や神経細胞などを操作したマウスなど、1000種類を超えるマウスが日々生み出されている。

韓氏が「撮影に向いているマウスがあります」と、ケージから1匹を取り上げ、紫外線を当てる。思わず、目を見張った。耳やしっぽが緑色に光るのだ。生殖線が緑色に発光するオワンクラゲというクラゲの遺伝子が組み込まれているという。

このマウスも、科学実験に役立てるためにこの世に誕生した。人間がゲノムを自在に操作し、自然界に存在しない生命を誕生させる——。緑色の光を放ちながら目の前でエサをほおばるマウスは、人類が〝神の領域〟に足を踏み入れた象徴のように見えた。

サイヤジェン社では、こうした〝ゲノム編集マウス〟を低コストで量産するため、まさに工場のような流れ作業のシステムを構築していた。作業員が自分の持ち場で同じ作業を繰り返すことで、〝業務の効率化〟を図るのだ。

最初の工程が行われるのは、エンジニアたちがパソコンに向き合う「生物情報設計室」。ここでは、顧客から受けた注文を、ゲノム情報に落とし込んでいく。パソコン画面には塩基「A」「G」「C」「T」の配列が並び、エンジニアたちが慣れた手つきで配列を整えていた。作業員の一人は「配列を決めていくのは、プログラミングをする感覚に似ている」と話した。

次の工程で登場するのが、あのクリスパー・キャス9だ。顕微鏡がずらりと並ぶ部屋。作業員の手元にあるのは、マウスの受精卵である。この受精卵に、特殊なタンパク質を注射すると、ゲノムに変化が起こる。無事成功すれば、エンジニアたちが設計したとおりのゲノムをもつ受精卵となる。

積み上げられたケージの一つひとつで、さまざまな動物実験用マウスが飼育されている

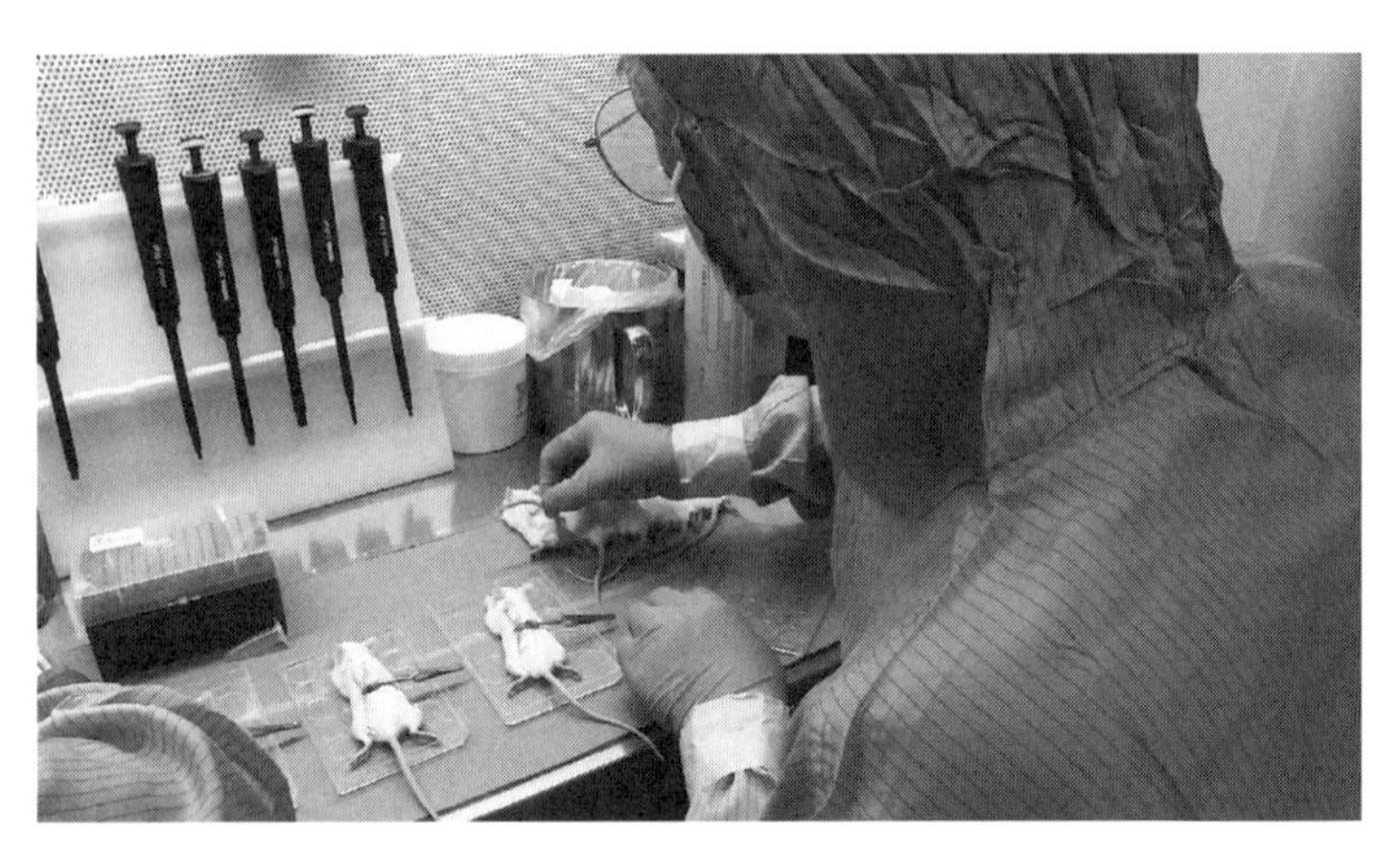

麻酔で眠らされた母親マウスの子宮に、ゲノム編集された受精卵が移植される

　こうしてできた受精卵は、母親マウスの子宮へと移植される。麻酔をかけられた母親マウスが並べられ、次々と受精卵を注射されていく。母親マウスたちは妊娠し、出産。こうして、人間がゲノムを操作した新たな生命がこの世に誕生するのだ。

　韓氏は興奮気味にこう話す。

「われわれは生命をデジタル情報の集合体として捉えています。あらゆる生命のゲノム編集を可能にする技術を手にしたいま、創造の可能性は無限に広がっています」

　そして、この業界はこれからが成長期であるため、１年ごとに会社の規模や事業内容を拡大しなければ生き残れないと、意気込みを語った。

〝中国夢〟を追う男

　その2年後、新型コロナウイルスのパンデミックが世界で猛威を振るった２０２０年秋、ふたたびサイヤジェン社を訪ねた（当時、日本から中国への渡航は難しかったため、現地スタッフを通しての取材）。取材班は、韓氏が自らの言葉を実行に移した様子を目の当たりにすることとなった。

「日本ではまだ新型コロナが流行しているそうですね」

　感染拡大が収まりつつあった中国では、いち早く経済活動が再開されていた。韓氏も事業の拡大を本格的に進めており、サイヤジェン社は新たな工場を建設していた。総工費は、日本円にして50億円。他にも、複数の工場を同時に建設する強気の投資だ。話を聞けば、地元の共産党幹部への交渉が功を奏し、政府から補助金を支給してもらう約束まで取り付けているという。

勝算はあると、韓氏は言い切った。コロナ・パンデミック下で、世界的な〝ヒット商品〟の開発に成功していたからだ。「ACE2ヒト化マウス」。見た目には通常のマウスとなんら変わりないが、新型コロナ対策において、欠かせない実験動物になっている。

通常、動物実験用のマウスは新型コロナウイルスに感染しないというのが、これまでの常識だった。しかし、このマウスには人間の遺伝子の一部が組み込まれており、新型コロナウイルスに感染するという特徴をもっている。ワクチン開発をはじめ、さまざまな感染実験に役立てられているという。

新型コロナウイルスは、人間の細胞の表面にある、「ACE2」と呼ばれる特殊な突起（受容体）を足がかりとして、細胞内に侵入する。ゲノム編集を行い、マウスに人間と同じACE2をもたせれば、新型コロナウイルスに感染させられるというわけだ。

作業員たちは、ACE2ヒト化マウスの箱詰め・出荷作業に追われていた。そのうちの一人はこうつぶやく。

「今年は新型コロナの研究用に最新型マウスをたくさん出荷しています。とても忙しいです」

韓氏はパンデミックをチャンスと捉え、会社の上場に向けて準備を進めていると話した。ゲノムテクノロジーは、コロナ禍の時代の成長産業であり、投資家から資金を集めることはそう難しくないと意気込む。新型コロナウイルス感染症の流行が巨額のマネーを呼び込み、ゲノムテクノロジーに新たな加速をもたらしていた。

会社の業績が好調だからだろう。韓氏は、高級住宅街にプール付きの別荘を完成させていた。

「ゲノム編集で起業家として成功を収める。それが私の〝中国夢（チャイニーズ・ドリーム）〟です。別荘にもいつか招待しますよ」

生命のあり方を揺るがす「キメラ」研究

一方、中国・雲南省(うんなん)にある世界最大級の霊長類研究所では動物実験用に4000頭のサルが飼育され、ゲノム編集を使って人間の難病や遺伝病を再現し、医療研究に役立てている。研究を率いるのは、中国で「サル王」と呼ばれる人物。昆明(こんめい)理工大学特別教授の季維智(きいち)氏。いま取り組んでいる最新の研究について、得意気に話した。

「われわれは、ヒトとサルの細胞が混ざったキメラをつくりました。まだ細胞実験の段階で、実際に誕生したわけではないですが、遺伝的に近い生物のキメラをどのようにつくるのか、その仕組みを研究しています」

異なる生物種の遺伝情報をもつ細胞が混ざった混合体、「キメラ」。サルの受精卵に、人間の多能性幹細胞を注入することで、サルと人間の細胞が混ざった生命が誕生すると考えられている。ただし、細胞レベルでの研究は認められているが、実際にキメラを誕生させることは、世界中の多くの国で禁止されている。しかし、季氏は、「この研究が将来実用化されれば、人類のためになる」と、その意義を語った。

「人間と他の生物のキメラをつくる理由。それは将来、他の生物の体の中で人間の臓器をつくり出すためです。これは、移植用の臓器不足を補う技術なのです」

サルの体内で人間の臓器をつくる――。SFのようにも聞こえる季氏のアイデア。それは、人間とサルのキメラを生み出す過程に、ゲノム編集の技術を組み入れることで可能になると言う。

まず、サルの受精卵から、特定の臓器の発育に必要な遺伝子を、ゲノム編集によって削除する。そして、ここに人間の多能性幹細胞を注入すると、不思議なことが起こる。発育の際に、遺伝子を削除されたことで発育しなくなったサルの臓器を補うように、人間の多能性幹細胞が、その臓器へと発達するというのだ。こうして、サルの体内で人間の臓器が形成されるように誘導することができるというのが、季氏の考えだ。

２０２１年４月、季氏は人間とサルのキメラ胚を作成したとする研究の成果を、世界的な学術誌『セル』で発表した。『セル』誌は、アメリカの生命倫理学者による解説を併せて掲載。この研究の可能性を認めつつも、「これが胎内に移植され、胎児になったり、子が生まれたりしていれば、かなり難しい問題になっていた」として、倫理的な議論を進めるよう求めた。

技術と倫理のはざまで葛藤する科学者

科学技術の発展と倫理観のせめぎ合いはいまに始まったことではない。ただ、当然のことながら、科学技術が人間の生命領域に近づけば近づくほど、生命倫理との摩擦係数は否応なく上昇し続ける。賀建奎氏が行った人間の受精卵のゲノム編集を巡っては、さまざまな問題点が指摘されている。２０１８年の事件の際、多くの専門家は、技術の安全性が確認されていないにもかかわらず、新たに生まれる子どもの命を実験台にしたことに、倫理的な問題があると批判した。

また、ゲノム編集によってエイズウイルスへの耐性をもたせたとの主張に対しては、実用化されている治療方法があるなかで、それを行う必要が本当にあったのかと問いかける識者もいた。

ヒト受精卵へのゲノム編集は、親が子どもに望む特徴をもたせる「デザイナー・ベビー」への扉を開くことになると警鐘を鳴らす専門家も多いが、規制の議論は十分に進んでおらず、国際社会で広く合意された法規制はいまだ存在しない（２０２１年8月時点）。

２０２０年、賀建奎氏の事件を受けて、世界の科学者らでつくる国際委員会は、報告書「次世代に遺伝するヒトゲノム編集（Heritable Human Genome Editing）」をまとめている。この技術はまだ安全性が確立していないとして、ゲノム編集を行った受精卵を用いて妊娠を成立させることは、当面のあいだ、行うべきではないとされた。

われわれが訪問したどの取材先も口々に、賀建奎氏の行為は許されるものではないと語った。自分は倫理的に問題のない範囲で、社会のためにゲノムテクノロジーを役立てる。自分は賀建奎氏とは違う――。一方で、研究者の中には、生命倫理の観点からの議論が大幅な規制につながり、医療の可能性が封じられてしまうのではないかと、危惧する人もいた。

上海科技大学教授の黄行許氏。研究室には最新の科学論文が山積みにされており、その勤勉さが窺える。聞けば、毎晩夜11時までは研究室にこもっているという。

黄氏は、マルファン症候群という先天的な病気の研究に取り組んでいる。骨格などに異常が生じる遺伝性疾患で、高い確率で子どもにも受け継がれることが知られている。およそ30億塩基対にも及ぶ人間のゲノムのうち、たった1塩基の異常が原因となって生じるとされている。親がマルファン症候群であっても、受精卵の段階でゲノム編集を行えば、子どもへの遺伝を防ぐことが可能になると、黄氏は考えた。

黄氏は、この研究に取り組む理由を打ち明けた。

「私は農村で生まれ育ちました。小学生のころ、幼なじみの女の子に遺伝病がありました。それは神様が決めたことだと、一言で片付けられるかもしれませんが、患者にとっては公平ではないと思ってしまうのです」

人間の受精卵へのゲノム編集については、いまだその是非について社会で十分に議論がなされていない。あなたはどう思うか――。黄氏にそう尋ねると、思わぬ返答があった。

「倫理のことは、倫理学者に任せるべきだと思います。自分のような生物学者は技術的なことを研究することが仕事です」

もちろん、黄氏の研究チームは、科学界の研究規範を守り、定められた倫理審査も受けている。しかし、倫理的問題についての議論に距離を置き、テクノロジーを追求することこそが自分の職務だと話す同氏の姿勢には少なからず違和感を覚えた。

技術が悪用されることはないのか。デザイナー・ベビーにつながる恐れはないのか。質問を重ねるうちに、それまで淡々と質問に答えていた黄氏は、突然、語気を強めた。

「一般の人には、私の研究を到底理解できません。ひどいことをやっていると思われてしまいます」

「もうこれ以上は話したくありません。これはとてもデリケートな問題です」

「私を困らせないでください。技術的な質問ならともかく、デリケートなところには踏み込みたくありません」

国によって規制やルールは異なるものの、ゲノム編集後の受精卵を母胎に戻さない限りにおいて、基礎研究は認められているケースが多い。黄氏は、研究チームではゲノム編集を施した受精卵は実験後に処分しており、実際に子どもを誕生させた賀建奎氏とは違うと語った。

受精卵のゲノム編集を必要とする声

中国でヒト受精卵へのゲノム編集が盛んに研究される背景には、中国ならではの事情があることも見えてきた。

2016年に「一人っ子政策」が廃止された中国で、政府が長年掲げてきたのが、「優生優育」と呼ばれるスローガンだった。政府は親たちに対し、たった一人のわが子を健康に産み、育てるよう奨励してきた。中国の農村などでは、「優生優育」の4文字が書かれた看板や外壁をいまも見ることができる。

ちなみに、一人っ子政策が廃止された現在でも、子どもは一人しかもたないという家庭は多い。都市部を中心とした、教育費や住居費の高騰が背景にあるという。近年の急激な経済成長に伴う教育熱の高まりもあって、中国の子どもたちは家族の期待を一身に背負うようになった。「優生優育」の考え方は、社会に深く根付いている。

　こうした状況のなか、急速に普及しているのが、妊娠前に受精卵に異常がないかを検査する着床前診断だ。取材班が訪れたのは、上海に拠点を置くベンチャー企業であるイコン・ゲノミクス社。同社の事業は、顧客の夫婦から体外受精した受精卵の提供を受け、先天的な病気がないかを検査するというものだ。自分たちの受精卵に遺伝性疾患の可能性が発見されると、多くの夫婦はそれを〝処分する〟という重い選択を行うのだという。

　この事業を立ち上げたCEOの陸思嘉（りくしか）氏は、アメリカ・ハーバード大学で生命科学を学んだという人物だ。われわれに、1枚の写真を見せてくれた。写真には、イコン・ゲノミクス社の幹部たちが、顕微鏡を覗（のぞ）き込む習近平（しゅうきんぺい）国家主席を笑顔で囲む様子が収められていた。

「以前、習主席が、われわれの実験室を見学に来られました。遺伝子診断は、『優生優育』に合致すると、国にも支持されたのです」

　ラボには、「次世代シーケンサー」と呼ばれる最新型の遺伝子解析装置が並び、バックヤードには、巨大なサーバーが並んでいる。利用者が増えるにつれて、膨大なゲノムデータが解析・保存されるようになった。診断可能な遺伝性疾患の数は600を超えており、データの蓄積とともに、その数は増えていくという。

陸氏は、すでに親が望む命を選び取る「命の選別」は広く行われており、受精卵へのゲノム編集についても社会のニーズはあると語った。

「中国では毎年、1600万人の新生児が生まれています。遺伝性疾患がある確率はおよそ5パーセントです。毎年、遺伝性疾患をもって生まれてくる新生児は80万人います。子どもに対する親たちの思いは切実です。長い目で見れば、ゲノム編集はこうした病気の治療に使われるべきです」

陸氏は、ゲノム編集の遺伝的難病への応用については、あくまで長期的な期待だと強調し、技術の安全性確立が前提であることを付け加えた。自らの発言が、結果として賀建奎氏の行為を支持することにならないよう慎重に言葉を選んでいる印象だったが、話しぶりには熱がこもっていた。その向こう側には、受精卵へのゲノム編集に期待を寄せる市民たちの声があるのだろう。

光と影が混在する〝パンドラの箱〟

2020年、アメリカのシンクタンク、マッキンゼー・グローバル研究所が報告書をまとめた（*The Bio Revolution*, McKinsey Global Institute, 2020）。

遺伝子解析コストの推移

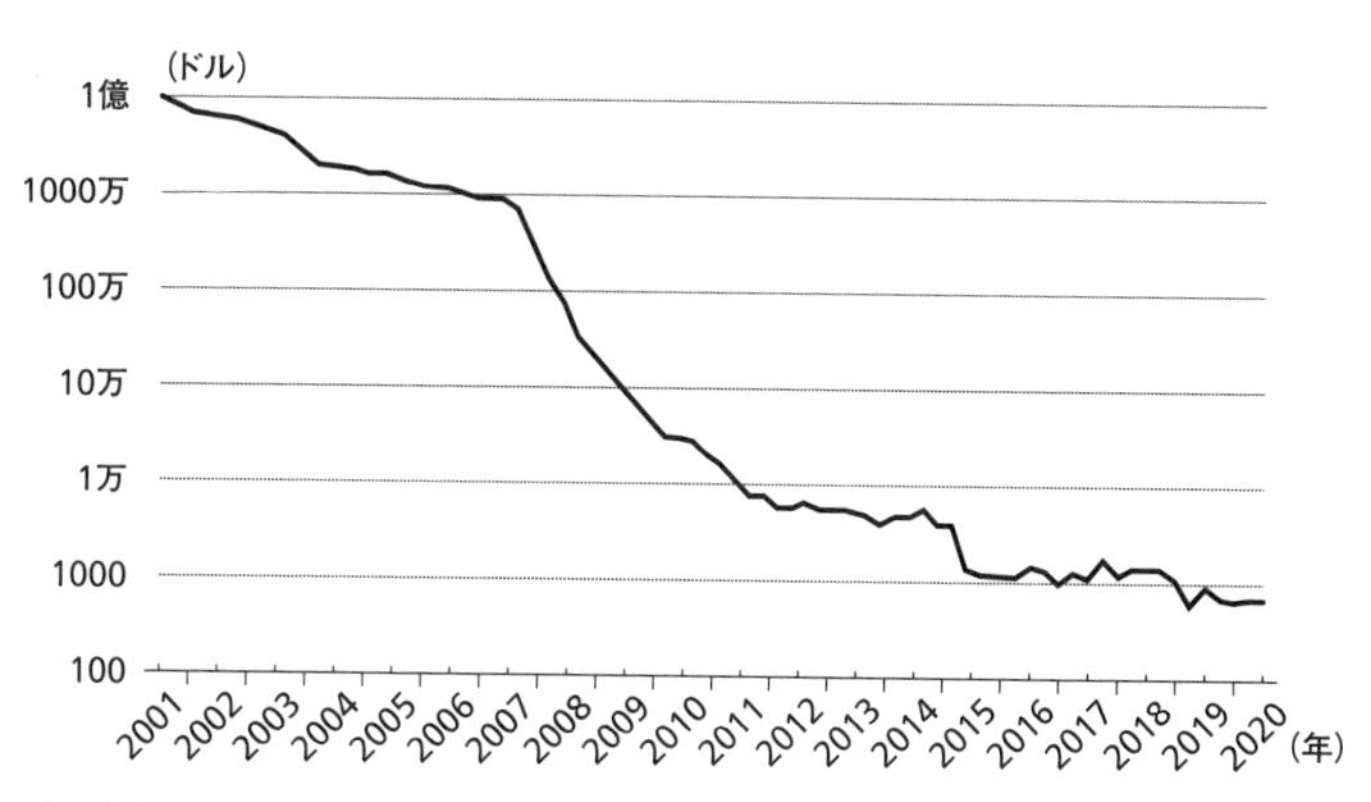

データ出典：National Human Genome Research Institute / McKinsey Global Institute

報告書によれば、２０３０年までの10年のあいだで、ゲノムテクノロジーはさらなる進化を遂げると言われている。背景にあるのは、ゲノム情報を解析するコストの急速な低下だ。２０００年には一人当たりおよそ１００億円かかっていたが、２０３０年には１００ドルを割り、限りなくゼロに近づくと試算されている。人類があらゆる生命の設計図を手にし、操作できる可能性が飛躍的に高まるというのだ。また現時点で、ゲノム編集を行えるキットがオンラインで容易に入手可能であることも、技術の拡散に拍車をかけると指摘している。

報告書は、懸念されるリスクについても指摘する。一つが、遺伝子操作によって未知のウイルスがつくり出され、人類の脅威となる可能性。もう一つが、ヒト受精卵を操作して、子どもに望む特徴をもたせるデザイナー・ベビーの問題だ。

報告書を取りまとめた、マッキンゼー・グローバル研究所所長のマイケル・チュイ氏は、あらゆるテクノロジーには共通した法則があると話した。それは「加速点」と呼ばれる、爆発的変化が始まるポイントである。一度進化が加速するとあっという間に広がり、社会を一変させる――。チュイ氏の次の言葉が印象的だった。

「このテクノロジーは、光と影が混在する〝パンドラの箱〟です。使い方を誤れば、人間の命に関わります。どこかで倫理の〝線引き〟をする必要があるのです。私たちは次の10年、よりよい選択をするためにこの問題に向き合わなければなりません」

人間が生命の遺伝子を操作することは、どこまでが許される範囲で、どこからが許されない範囲なのか。その〝線引き〟は誰が行うのか。テクノロジーそのものを規制すれば、人類の可能性を閉ざしてしまうことにもなりかねない。一方で、その暴走を許すわけにもいかない。

２０３０年まで、あと数年。私たちには、重い問いが突きつけられている。

インタビュー１

島薗　進

倫理を置き去りにして、テクノロジーを進めるべきではない

しまぞの・すすむ

1948年、東京生まれ。宗教学者。東京大学名誉教授／上智大学グリーフケア研究所所長。2001～2004年には、内閣府生命倫理専門調査会委員を務める。日本学術会議（哲学委員会「いのちと心を考える分科会」2020年）においては、連携会員としてゲノム編集技術を使った生殖の法的禁止などを提言した。書籍の執筆やメディア出演等を通じて、科学と生命倫理の問題を広く社会に問い続けている。

宗教学者として知られる島薗進氏は、1996年のクローン羊「ドリー」の誕生をきっかけに、急速なスピードで進んでいく生命科学のあり方を深く考えるようになったという。莫大な経済的利益を生むと期待され、進化そのものに価値が置かれる科学技術の世界では、ともすれば倫理的な問題は軽視されがちだ。島薗氏は、進み過ぎるテクノロジーにブレーキをかける必要性を、人文科学の側から強く訴える一人である。

ヒトゲノム編集は遺伝的な難病の治療等で活用が探られているが、その技術を使った〝人間改造〟はどこまでが許されるのか。たとえば容姿や知力、体力に優れた子どもをつくり出すことについてはどうなのか。技術を応用する際の目的と倫理的問題についての検討が置き去りにされているように、島薗氏の目には映る。これまで、進化の一途をたどる科学技術と遅々として進まない倫理面での議論の溝を埋めるべく、島薗氏は日本学術会議などでの議論に参加し、多くの提言を行ってきた。

新型コロナウイルス感染症や気候変動といったグローバルな課題に対して、文化や制度の垣根を越えた国際的な連携の動きも出てきているいま、ゲノム編集を巡る生命倫理の問題も各国が足並みをそろえて議論すべきだ、と島薗氏は主張する。このテーマに深い関心を寄せるアーティストのスプツニ子!さんとの対話から、私たち一人ひとりに何ができるのか、その糸口が見つけられるだろう。

なぜ、前へ進んでいるのかわからなくなっている

――ゲノム編集という技術の登場によって、さまざまな生き物の遺伝子だけではなく、人間自身の遺伝子をも自由に変えることができるようになってきています。中国の若手研究者である賀建奎氏が受精卵のゲノム編集をしたことは大スキャンダルになりました。彼が行ったことに対して多くの批判があったにもかかわらず、ヒトとサルのキメラをつくろうとする研究、ヒトゲノム編集の研究なども積極的に進められています。ゲノム編集の技術や胚性幹細胞（ES細胞）やiPS細胞の研究が加速するなかで、倫理面についての議論をどのように進めたらいいのでしょうか。

島薗　いまおっしゃった、サルの受精卵にヒトのiPS細胞を加えた「キメラ胚」の培養に、中国とアメリカの研究チームが成功したというニュースは、２０２１年4月に報じられましたね。このキメラ胚は19日後に死滅しましたが、技術的には、ヒトとサルのキメラがいつできてもおかしくないということです。

１９９６年ごろに開発されたゲノム編集という技術は、２０１２年のクリスパー・キャス９の発明によってその可能性が劇的に拡大しました。クリスパー・キャス９の開発にあたった二人の研究者は２０２０年にノーベル化学賞を獲りましたが、開発からたった8年での受賞はや

はり珍しいのではないでしょうか。それまで誰も想像しなかったようなことが起こったのです。
結果として、ゲノム編集の研究人口、そしてこの技術への研究費の流入は急増しました。今後10年のあいだに、その成果が現れてくることになるでしょう。それと同時に、急速にこの分野における問題点が現れてくるはずだと、私は考えています。

生命科学の大きな転機となったのは、1978年に成功した体外受精で、これは要するに人間が〝生命のはじまり〟に介入できるようになったということです。続けてゲノム研究が始まり、ヒトゲノムの解読は当時予想されたより早く20世紀のうちに達成されました。

そして、クローンの羊ができたのが1996年です。クローン羊のドリーは受精によらず、成長した羊の体細胞からつくられました。羊でクローンができるのなら、ヒトのクローンもできる。つまり卵子と精子が合体しなくても、人間の子どもができてしまう、さらに言えば自分自身のクローンがつくれてしまう技術が生まれたわけです。

1998年には、ヒトの胚（受精卵から発生の過程にある個体）から、体中の細胞に分化する多能性をもつES細胞を樹立することに成功し、その後も2006年、iPS細胞の作製によって、ヒトの細胞を採取して初期化し卵（らん）の状態に返すということができるようにもなりました。

「クローン羊ができた！」と驚いているうちに、みるみる研究が進んでいったのです。
一方、それらの技術がもたらす倫理的・社会的問題の検討はまったく遅れています。ヒトのゲノム編集については、いま、WHO（世界保健機関）が情報を集め始めていますが、せいぜいアメリカやEUが取り組んでいるぐらいで、世界的なルールや規定の形成にはほど遠いというのが、私の現状認識です。

――1978年にはじめて、体外受精でルイーズ・ブラウンが生まれてから40年余りが経過しました。当時は、メディアも「試験管ベビー」だとバッシングをしていましたが、現在、日本で新しく生まれてくる赤ちゃんの16人に1人が体外受精です。私たちの科学に関する常識はあっという間に変わっていくと実感させられます。同じように、私たちがいまゲノム編集に対して抱いている違和感や不快感は、40年後、どのように変わっているのか、もしくは変わらないのか、とても気になります。

島薗　命というものの概念もすでに変わり始めています。そもそも、命は〝授かる〟ものでした。子どもはつくろうと思ってもつくれるものではなかったし、思ったような子どもになるかどうかもわからなかったわけです。しかし現在、人工授精を行う際に精子や卵子を選別したり、あるいは複数の受精卵をつくって、その中からよさそうなものを選んだりすることがふつうになっています。自分が望むように命をつくろうとすることはもう行われているわけです。

私の名前は進と言いますが、私が生まれたころは「進む」ことが善とされていました。しかし、現在、人類はなぜ前へと進むのか、その理由を見失っています。一人ひとりがそのことの意味を考える以前に先へ先へと進むことを強いられており、それぞれ「自分にとって何が大事なのか」を考えることが難しい社会になっているわけです。また、各々が「自分一人が悩んでも、どうせ社会は変わらない」とあきらめている面もあると思います。

科学の進歩も、そうした社会の実相を映し出しているのではないでしょうか。テクノロジーはひたすら先へ先へと進んでいくけれども、何のために進化させているのか、その技術でどこへ向かおうとしているのかはわからない。その危うさをもっと見ていくべきです。

想定外のリスクを顧みずテクノロジーを進化させることは、現代文明が抱える根本的な欠陥であると直感する人たちもいます。これは推論に過ぎませんが、かつては宗教がそうしたことを提言していたでしょう。イスラム教がこれだけ世界の人たちの支持を受けているのにはさまざまな要因がありますが、一つには宗教というものの権威が失われて歯止めが効かなくなったなかで、果たしてこの先も、過去から受け継がれてきたものを大事にしない社会でいいのかという疑いが関わっているのかもしれません。

ゲノム編集は分断をもたらすか

——ゲノム編集に限らず、一般に科学技術は、社会のニーズや私たちの欲望にかなり忠実に進んでいく、いわば社会の写し鏡的なところがあると感じます。

島薗　たとえば、スポーツなどでよい記録を出したいという気持ちをもつこと自体は、よいことですよね。卓越する、より立派になる、よりよいことを行うというのは、人間の基本的な欲望の一つだと言えるでしょう。お互いに切磋琢磨(せっさたくま)して、そうした欲望をフェアに実現するのであれば、勝負に負けても文句を言う人はいないはずです。ところが、ゲノム編集によって、看過できない現実的な問題が生じ始めています。

心配されていることの一つが、筋肉増強です。筋肉の発達を抑えるはたらきをもつミオスタチンという遺伝子をゲノム編集の技術で外してやると、筋肉が非常に発達します。そうすると、重量挙げでも柔道でも、あるいは100メートル走でもよい記録を出せるようになるかもしれません。いままでは、ドーピングをしているかどうかをチェックして、違反した選手を失格にしたりメダルを剥奪したりしてきましたが、痕跡が残らないゲノム編集はチェックができないのです。すでに行われているかもしれないという話もあります。

生命科学が急速に進んだ１９９０年代に、リー・M・シルヴァーというアメリカの生命科学者が『複製されるヒト』（１９９７年、邦訳98年）という本を書いています。彼が描いた世界の未来像は、知能が高かったり病気にかかりにくかったり体力も優れていたりする、遺伝子的に改造された「ジーンリッチ（gene rich）」と呼ばれる人々と、そうしたテクノロジーの恩恵を受けていない「ナチュラル」な人々に、人類が分けられていくというものでした。すぐにこういう時代が来ることはないでしょうが、シルヴァーの見立てをまったく無視できるかというと、そうは言えないと思います。

懸念されるのは、人類がそのように分断されることにより、「同じ人間同士である」という連帯感が失われることです。たとえば、奴隷制があった時代、あるいは植民地主義の時代、同じ人類であるにもかかわらず、奴隷や植民地の住人たちを自分たちと同じ人だと思わず、彼ら・彼女らの苦しみに共感をもたないということがありました。ゲノム編集によって、それと同じことが起こるかもしれません。

治療とエンハンスメント

――たとえば、マルファン症候群やハンチントン病のような遺伝的難病に対する治療法としてゲノム編集

が効果的ではないかという意見があります。しかし同時に、優秀な頭脳やある特定の容姿を備えた子どもをつくるなど、なんらかの能力増強のために技術を使う方向に進んでいくのではないかという疑念がどうしても生じます。

島薗　成長ホルモンがうまくはたらかないことが原因で身長が伸びないという人に対し、身長が伸びるようにすることは「治療」です。一方、背が高い子どもを産みたいと願って、科学技術を利用することは「エンハンスメント」と呼ばれています。

たとえば将棋の藤井聡太棋士のような知能の優れた子どもをつくるために遺伝子を改変することも夢ではなくなるかもしれません。治療とエンハンスメント、病気を治すこととふつう以上の能力を与えることに線が引けるかというのはとても難しい問題で、今後どう解決法を見出していくのかが問われるでしょう。

病気を治すことはよいことだけれども、障がいのある子どもを産まないようにするのはどうなのか。あるいは、若くしてがんにかかる可能性がある人が、そうならないよう遺伝子を編集することはどうなのか。アンジェリーナ・ジョリーというアメリカの俳優が、乳がん罹患リスクの高い遺伝子変異があることを理由に予防措置として乳房を摘出したというニュースが報じられたことがありました。いずれ、人類が皆、がんになる前に遺伝子レベルで処理するという時代になりかねません。しかし、そういうことがふつうになったとき、その社会が本当に幸福なのかと考えると、とても危うい印象を受けます。

――科学技術の恩恵について考えるとき、ポジティブな側面とネガティブな側面の両方を慎重に見ていく必要があると思います。ネガティブな側面ばかりを見てしまうと、難病の治療に活かされるかもしれない技術の研究が止まってしまうというリスクがあります。かといってそれが悪用されることによって、新しい苦しみや格差の問題が生まれてしまうのも、非常に恐ろしいことです。そのバランスはどんな技術であっても、とても重要なのだと思います。

島薗　科学技術の歴史の中でかつてなかった、難しい、そしてまったく新しい倫理的な問題と言えます。「人間改造を目的とした科学技術の使用」を禁止することは、喫緊(きっきん)の課題です。しかし、母胎には戻さないという合意は一応あるとしても、各国政府の立場は、基礎研究は進められるべきというもので、受精卵へのゲノム編集そのものは各地で行われています。

難病治療や生殖補助医療の改善が見込めるのであれば、使える技術は使ってもいいのではないかという考えがあるわけです。たとえば、筋ジストロフィーのような、比較的若いときに死んでしまう可能性が高い病気の罹患が予想される場合には、早い段階で産まないようにするという判断もありえるのかもしれません。では、他の病気ならどうなのか。予防的に排除すべき難病なのかそうでないのかという線引きには非常に難しい判断が求められます。いずれ、遺伝子治療やゲノム編集が許される病気や障がいについても、具体的に決めなければならなくなるでしょう。

しかし、それは簡単なことではありません。「滑り坂論法」と言いますが、一度認めてしまうと途中で明確な線を引くことはますます難しくなります。もし途中で歯止めがかけられないならば、最初から、あるいは弊害が予想される段階で止めなければならない。そういう判断を人類ができるかどうか。よほど実効性のある世界的な合意のシステムをつくらないとまず不可能でしょう。そうしたシステムをつくるということもまた、とても大きなチャレンジだと思います。

浮かび上がるさまざまなリスク

――ゲノム編集技術は、今後どのような目的に使われる可能性が高いと思いますか。

島薗　食料問題です。むしろ、これまで医療よりも先にゲノム編集技術が使われてきた分野と言えるでしょうね。

——茨城県つくば市に本部がある国立研究開発法人の農業・食品産業技術総合研究機構（農研機構）が、花粉症を解決するために、スギ花粉の成分をゲノム編集で加えたイネを開発しました。そのイネから収穫されたお米を毎日食べると、スギ花粉に対して耐性がつくそうです。確かにそれで花粉症の症状が緩和されるなら、食べてみようかな、と考えてしまいます。

島薗　私もそのお米には非常に関心が高いですね（笑）。他にも、２０２１年、ゲノム編集を用いて、高血圧を抑制する「ギャバ」というアミノ酸の含有量を高めたトマトの流通が報じられました。２０１９年10月以降、ゲノム編集によって特定の機能を付与した食品は、ルール上、届け出のみで販売できるようになっていて、安全性審査は不要となっています（厚労省「ゲノム編集技術応用食品および添加物の食品衛生上の取扱要領」）。従来の遺伝子組み換え食品と異なり、ゲノム編集食品について、食品表示の義務化は難しいという見解も出てきています。よりオープンな議論が必要です。

——私が以前勤務していた、アメリカ・マサチューセッツ工科大学（MIT）では、「iGEM」という

合成生物学の国際大会、要するに〝遺伝子組み換え生物のロボコン〟[★1]が開催されています。世界中から高校生や大学生が集まって、「誰がいちばん優秀な大腸菌をデザインできるか」など、まるでロボットをつくるように新しい生き物を編集してつくり出すことを競うのです。間近で見ていて、自分はとても不思議で新しい時代に生きているのだと実感しました。

島薗　一般の人からすれば、「生き物かどうかも判別しづらい」という段階だと、人体に適用するときは自ずとはたらく制御心もはたらきにくくなります。気がついたら、とんでもないことが起こっていたということにならなければいいのですが。ワクチン開発研究のためにはウイルスも合成しなくてはならない。それが軍事利用されてしまうというようなことも危惧されています。

たとえば、「遺伝子ドライブ」という現象がありますね。特定の遺伝子が偏って遺伝するというものです。この遺伝子ドライブを人為的に発生させる研究が行われています。遺伝子改変を通じて、生物種全体の改変も可能になってしまう。たとえば、マラリアやデング熱のような感染症を媒介する蚊を短期間で絶滅させるためにメスしか生まれないような種をつくり出すということも可能になっています。

――実は、MIT時代に同僚だった遺伝子工学者のケビン・エスベルト教授が、2013年、ハーバード大学在籍時に遺伝子ドライブの技術を開発したんです。彼は非常に優秀な研究者なのですが、彼と話しているときに、「一定の種を絶滅させる」、「実験動物を巡る倫理的問題の回避のために痛みを感じない実験動物をつくる」などのテーマを聞き、本当にそういった目的のためにゲノム編集を活用していいのかと、問いかけてしまうこともありました。可能なら、やってもいいのか。それこそ倫理や人文科学の議論の出番となるのかもしれません。エスベルト教授本人も、遺伝子工学研究に関して多くの分野の専門家と議論していきたいと呼びかけています。

島薗　従来、動物や植物の品種改良にはとても長い時間がかかっていました。しかし、ゲノム編集の登場により状況は変わり、その速度は劇的に向上しました。そのこと自体はポジティブな可能性ではあるのですが、生態系を変えてしまうなど難しい問題を孕んでいます。いま、ミツバチのコロニー(生物集団)の減少が世界的に取り沙汰されていますが、生態系を変えることで、なんらかの予測できない結果が生まれるかもしれません。

しかし、「経済的利益が上がる」という後ろ盾があると、そのリスクを低く見積もることも起こりえます。原子力の問題が如実に示したように、歴史上かつてなかった力を人間が手に入れたとき、アピールされるのはそのプラスの側面に偏ることが多い。結果的に何が起こってしまうのかについて、科学者は「それは想像に過ぎない」「それほど心配しなくていいですよ。

考え過ぎですよ」という話にしてしまいがちです。

★1　遺伝子や分子を組み合わせ、生物システムを人工的に再構築しようとする学問分野。

規制はできるのか

――ゲノム編集をはじめとするバイオテクノロジー産業は、今後、200兆円規模に成長するというOECD（経済協力開発機構）の試算があります。テクノロジーが資本主義や経済の論理にさらされることで、いったいどのような影響が生まれるのでしょうか。

島薗　本来、科学は、「人類がより幸せになる」という目的に寄与するものと信じられていました。しかし、その目的よりも競争の方が優先されているのが現状です。

新しい成果が生まれると、それが特許になって経済的な利益になる。発表した科学者は賞賛され、もしかしたらノーベル賞を獲って社会的な地位も上がる。そうやって富や名誉を得ることが研究のモチベーションになり、そもそもの目的が置き去りにされていく――。

なぜそこまで成果を急ぐのかがわからなくなっていて、そうした事態がおかしいという感覚も失われています。目的よりも手段が先になってしまっている。これは現在の資本主義社会そのものの大きな問題だと思います。

少し話は変わりますが、新型コロナウイルス感染症のワクチンを巡っては、変化の兆しも出てきています。ワクチンを開発したのは先進国の企業ですが、彼らがもっている特許を放棄して貧しい国々でもワクチンを普及できるようにしようという提案を、インドや南アフリカが行いました。そして、WTO（世界貿易機関）やWHOに続き、資本主義社会のトップであるアメリカのジョー・バイデン大統領もこれに賛同しました。

つまり、共通の価値に基づいて何が人類にとって大切かを考え、科学の進むべき道を判断しようという流れが生まれている。当たり前と言えば当たり前のことなのですが、ようやくそこにたどり着いたのかなという気もします。

新型コロナウイルス感染症が大きな災厄であることは確かです。しかし地球規模のパンデミックは、人類に「国境に分かたれず一つであるべきだ」という自覚を促するしであると言えるのかもしれません。

たとえば、気候危機についても、声を上げたグレタ・トゥーンベリさんに共鳴する動きが世界中に広がり、科学技術が特定の方向に突き進んでしまうことへの抑制に、もしくは方向を少し変えさせる力へと結び付きました。人類はグローバルなレベルで協力し、一緒に危機に立ち向かうべきだという意識が、こうしたところにも見られるのではないかと思います。その意味では、ゲノム編集を取り巻く問題も、私たちが新しいかたちの知恵を生み出すための試練の一つと受け止めることもできるでしょう。

――個人がＤＩＹでゲノム編集ができてしまう時代に、効果的に機能する枠組みや法律をつくることができるのでしょうか。

島薗　おっしゃるように、クリスパー・キャス９の利用キットは通販で入手が可能で、ゲノム編集がＤＩＹでできてしまいます。それほど費用もかかりません。これについては、たとえばキットの注文時に、注文者の研究計画や実績をしっかり検証する、さらに倫理的なチェックに基づいて規制をかけるということは可能でしょう。

大変なのは、それを世界同時にやらなければいけないことです。ゲノム編集の規制に対しては、リアクションの早い国と遅い国があります。リアクションの遅い国の方が研究を先へ進められるといったことも起こるので、国際協調が求められます。

中国で賀建奎氏が非難され、懲役刑を受けたのは、子どもを実際に誕生させたことを公にしたからです。黙って研究を続けようと思えばできてしまうので、早く規制やルールの枠組みをつくらないといけないのですが、なかなかそこまで進んでいないのが現状です。

想像力をはたらかせる必要があるのは、つくった命は壊せるということです。90年代に流行した「たまごっち」というゲームのように、「死んでもリセットすれば、また生まれてくる」という感覚が根付いてしまえば、「命とは尊いものである」という基本的な感覚が揺らいでいくかもしれません。

テクノロジーを巡る「欧米対アジア」の構図

――実は、自由、民主主義、人権、プライバシーの尊重という欧米的概念と、AIやバイオテクノロジーの発展は、よくも悪くも相性があまりよくないのではないかと考えています。一方、中国のようなトップダウンの管理型社会ではAIのビッグデータも取りやすいでしょうし、ゲノム編集における倫理的な問題も、欧米と異なる人権意識や論理で扱われているような印象を受けます。文化に基づく倫理的な規範が各国で異なるなかで、規制についての足並みをそろえていくのはとても難しいことですね。

島薗　フランシス・フクヤマというアメリカの政治学者がこういう議論をしています（『人間の終わり　バイオテクノロジーはなぜ危険か』２００２年）。キリスト教圏では、キリスト教の倫理やそれに基づいた文化の影響が色濃く残っており、人間改造を思わせるような科学技術を忌避する傾向が強いのに対し、そうした基盤をもたないアジアではためらいなく研究が進んでしまう（これはあくまで推論であり、個々の研究者の倫理観はまた別の話である）。以前は、シンガポールに最先端の生命科学技術の研究者が集まることが懸念されましたが、その流れが、現在、中国に来ているということでしょう。

いま、中国と欧米諸国のあいだで国際政治上の対立が起こっていますが、そうした問題と科学技術に対する倫理的な規範を巡る問題が、今後、重なっていく可能性もあります。従来は大陸ヨーロッパとアメリカ・イギリスのあいだにやや距離があって、大陸ヨーロッパが倫理的にはいちばん厳しかったわけですが、今度は「欧米対アジア」という構図になっていくのかもしれません。

――そうしたなかで、日本が、国際社会に対して示すことのできる考え方や、果たせる役割はないのでしょうか。

島薗　日本はアジアの中でいち早く西洋科学を輸入して成果を上げた国です。そして、西洋科学は大きな発展を遂げて、ノーベル賞受賞者も多く輩出しています。

一方、移植医療を巡っては、独自の生命倫理をもっている国でもあります。たとえば、脳死臓器移植に対して慎重な態度を取っており、実際の件数も少ないなど、欧米とは異なるスタンスです。欧米からは、「亡くなった人の臓器を苦しんでいる人に提供しないのは愛が足りない」と見えるようですが、日本人は、「亡くなっていない人を亡くなったことにしていいのか」という問題に悩みます。つまり、欧米とは命の受け止め方が違う。「命を尊重する」という基本的な価値観は通じているとしても、その表れ方が違うということです。

今後、欧米とアジアのあいだで価値観の調整が必要となったとき、この領域で日本の果たせる役割があると思います。残念ながら、賛成してくれる人はあまりいないのですが。「命を守る」という生命倫理の原則にはバラエティがあって、簡単に答えが出る問題ではありません。ただそのバラエティは無限ではないのですから、人類の知恵を結集すれば、共通の答えを出せるのではないかと思います。

光と影のどちらも見る

――ゲノム編集のような人類全体のあり方を変えていくような技術について、専門の研究者だけで議論されてしまうことに不安を覚えます。多くの人がこの問題についてより理解を深め、議論に参加した方がい

いと思うのですが、いったいどのようにすれば一般市民の理解を進めていくことができるのでしょうか。

島薗　これはゲノム編集に限りませんが、現代のテクノロジーの特徴は、指数関数的というか、専門家以外は誰もついていけない勢いで進んでしまうところにあります。進化のスピードをもっとゆっくりにしてほしいと思ってもそれは無理な話なので、私たちが勉強して追いつくしかありません。

一方、科学者はそのテクノロジーが抱えるリスクを市民に伝えなくてはいけないと思います。テクノロジーの進歩によって影響を受けるのは社会なのですから。そして、いま生きている人だけではなく、まだ生まれていない人たちへの影響も考える必要があります。そうした大きな問題を一部の人だけで決めていいはずがありません。

とはいえ、科学者の中にも、この問題をもっと広く知らしめないといけないという意識をもつ人が増えてきており、時代も変わりつつあると思います。私の知る研究者の方もふつうの人にもわかる言葉でどういう問題が起こっているのか、なんとか知らせようとしています。

――2030年には、ゲノム編集やバイオテクノロジーがいま以上に進化し、大きな変化が起こるのではないかと言われています。その時代、人類はどのような未来にあるのか、島薗さんの展望を聞かせてくだ

さい。

島薗　１９３２年に、イギリスのオルダス・ハクスリーという作家が『すばらしい新世界』(邦訳33年)という作品を発表しました。これは生命科学によって人類がどう変わってしまうかを、その時点で予測したディストピア小説ですが、ハクスリーが描いた〝新世界〟は、人間が工場で製造されるという恐るべきものでした。

私にはそうした世界の到来が、すぐそこまで近づいているように思えてなりません。世界全体が、検討すべき社会的・倫理的問題としてゲノム編集技術などの問題に取り組む必要性を、市民もしっかり自覚することが迫られる時代になってきたと感じます。

また、科学技術が備える光と影の側面のバランスを取っていくためには、人文科学の研究者の役割が大きいと思います。新しい科学技術によって人間社会のあり方がどのように変わり、人間の考えや価値観にどのような変化を及ぼす可能性があるかを、しっかりとした基盤に沿って考えることができるのが、人文科学だからです。

具体的には生命倫理学がそうした問題を扱う学問領域なのですが、この分野は学者も少ないし、議論も弱い。他方、多くの人文科学研究者は、新しいテクノロジーについての関心も勉強も足りないという印象です。

私自身、学生時代、最初は医学を志したのですが、「難しいし面白くない」と感じて、文系に転向しました。いま、生命倫理の問題についていろいろと発信しているのは、「もっとしっかり勉強しておけばよかった」という後悔から来ているところもあります。理系が専門でありアーティストでもあるスプツニ子！さんのように、異なる分野を横断して、一般の人にもわかりやすく問題を伝えられる人がもっと増えてほしいと思います。

――おっしゃるように、科学者の考えを理解しながら人文科学の文脈からしっかりと提言できる人が必要ですが、それができる人は限られているのが現状ですね。私も理系だからこそ理解できることもあるので、アーティストとしてそれをわかりやすいかたちで伝えたいと思っています。

島薗　特に頑張ってほしいのは、メディアです。科学担当の記者は科学者に取材することが仕事なので、科学者の強調する新しいもののよい側面を報じるニュースがどうしても多くなります。しかしそれは報道の役割の一部であって、危惧される側面もしっかり伝えなければいけませんし、そのためにアンテナを広げる必要があると思います。

科学技術を多面的に捉え、それを誰にでもわかるように表現した天才として、手塚治虫の名前を挙げておくべきでしょう。たとえば、ゲーテが描いたファウスト博士の物語を下敷きにした『ネオ・ファウスト』（1988年）という作品では、自分のクローンをつくるという話が出てきます。手塚は医師でもありましたから、そうした技術が可能になる時代が訪れることを想像し、テクノロジーの暴走に対して警戒的なビジョンを提示したのでしょう。

その一方で、『鉄腕アトム』（1952〜1968年）は原子力に対する賛美のようなところもある作品だと言えます。つまり、手塚の中に両面の想像力がはたらいていたということです。

――科学は希望をもたらすような明るい側面だけではありませんので、怖がることが必要なときもあるでしょう。一人ひとりが、確かな、そしてさまざまな情報にふれて考えることから出発し、議論を重ねるべきだと思います。

島薗　2030年って、もうすぐですよ。これからたった10年のあいだに、思いがけないことがいろいろと起こってくるでしょう。進み続けるテクノロジーに対し、そこで問われる倫理面の課題をどう解決するのか。これまで述べてきたように簡単には答えが出ない難問ですが、人類の将来に関わる問題として、私たち一人ひとりが関心をもち、議論していくことがやはり大切ではないでしょうか。

インタビュー 2

ジョージ・チャーチ

テクノロジーを無条件に拒否するなら、未来はない

George McDonald Church

1954年、アメリカ・フロリダ生まれ。遺伝学者、分子工学者、生化学者。ハーバード大学医学部教授、マサチューセッツ工科大学教授を務めるほか、ゲノムデータを活用するさまざまなスタートアップ企業に関わる。1990年に始まったヒトゲノム計画の立ち上げメンバーの一人であり、遺伝学、バイオテクノロジーの第一人者として知られる。近年は、ゲノム編集技術を用いた「マンモス復活プロジェクト」でも注目を集める。

ハーバード大学医学部教授のジョージ・チャーチ氏は、ゲノムテクノロジーの進化を牽引し、「合成生物学の父」とも称されるパイオニアである。人間の全塩基配列を解析するヒトゲノム計画（1990〜2003年）の立ち上げに加わり、氷河期末期に絶滅したマンモスを復活させるプロジェクトをスタートさせるなど、アカデミックな領域を軽々と超える彼の活動は、常に世界を驚かせてきた。学究のみならず、ゲノムテクノロジーの分野でいくつもの特許を取得し、自身の研究室から数多くのスタートアップ企業を輩出する、ビジネス感覚にも長けた人物である。

取材班は、ゲノムテクノロジーを巡るさまざまな疑問や懸念を彼に問いかけた。どこで一線を引けばいいのか。そして、この技術を安全に普及させるにはどうすればいいのか——。

チャーチ氏の答えは一貫して、「テクノロジーをよい可能性のために使う」という信念に基づくものだった。ゲノムテクノロジーが「悪い可能性」をもつからといって、そのすべてを否定するのではなく、この技術がもたらす「よい面」のために何ができるかを考えるべきだというのだ。

彼が問題だと考えているのはむしろ、テクノロジーを使わないことで、現在、人類が直面している危機に対応できなくなってしまうことである。感染症対策や気候変動、さらには遺伝性疾患に至るまで、ゲノムテクノロジーが貢献できる分野は多く、人類を救う可能性を拓くのだとチャーチ氏は主張する。彼の提唱する「バイオ天気図（BioWeatherMap）」や「砂漠や北極圏の炭素隔離」といったバイオテクノロジーの活用は、最前線に立つ科学者ならではのビジョンだと言える。

新しい技術について、正確な情報を収集し、正しく恐れることはもちろん必要なことだ。しかし同時に、そのポジティブな可能性についても知っておくべきだろう。知的興奮を誘（いざな）い想像力を喚起する科学者の言葉に、耳を傾けよう。

ゲノムテクノロジーはどこへ向かうのか

――最初に伺いたいのは、ゲノムテクノロジーは人類に何をもたらすのか、ということです。たとえば、このテクノロジーは人類が直面するさまざまな問題――気候変動、パンデミック、エネルギー危機、食料危機など――に対する解決策となるのでしょうか。今後10年、ゲノムテクノロジーはどのようなブレイクスルーをもたらすのでしょうか。

チャーチ　ゲノムテクノロジーは警察の法医学的捜査や身元確認で使われるなど、広く世の中に行き渡っている技術の一つで、GPS衛星や原子時計のように、もはや取り立てて目立つものではありません。

また、合成生物学を含むバイオテクノロジーの発展により、多くの産業では、化学や物理学を利用した工学的なものから、生物学の力を利用したものへと、ベースが変化してきています。たとえば農業、新素材、医学などの分野で、生物学的成分を採取して分析や診断などに使用するためには、ゲノム解読が前提とされます。それらを有効活用することで、農業では数年ごとに生産性が数パーセント向上するなど、大きな成果が得られているのです。また、植物の光合成による炭素隔離（二酸化炭素の排出を抑制する手段）を促進するためにもバイオテクノロジーが利用できます。

ゲノムテクノロジーの急速な進歩が続けば、今後10年、さまざまなものに影響を及ぼすことになるでしょう。この技術がもたらすブレイクスルーのポイントは、迅速であること、安全性、そして手ごろな値段です。

一例を挙げると、最近まで医学の臨床試験は10年ほどかかるのがふつうとされていましたが、ゲノムテクノロジーを利用すれば、多くのプロセスを並行して行い速度を上げることができます。たとえば、新型コロナウイルスのｍＲＮＡ（メッセンジャーＲＮＡ）ワクチンの開発に際し、1年未満というごく短い期間で臨床試験を終わらせることが可能だと示されたのは、ご存じのとおりです。

ゲノム解析の費用が急速に下がっていることも、今後10年に大きな影響を及ぼすと考えられます。いまのところ、遺伝子療法は史上最も高価な診療カテゴリーの一つですが、倫理的に考えると、なんらかの方法で「誰でも治療を受けられる」ようにする必要があります。ゲノム解析に起きた急激な価格低下が、ゲノムテクノロジーの医薬的応用の分野でも起こることを期待しています。

すでに承認されている治療法がより進化したものへ置き換えられていくことも考えられます。将来的には、１００ドルで患者の全ゲノムの解読が行われれば、遺伝カウンセリングも普及し、変化を加速させることになるでしょう。

――ゲノムテクノロジーの領域において、今後、具体的にどのような技術が開発されるのでしょうか。

チャーチ　ゲノムテクノロジーについては、技術開発の数が多ければ多いほど、質は向上し、新たなイノベーションも生まれていきます。

非常に可能性が高いものとしては、われわれが提唱する「バイオ天気図」が挙げられます。私たちは自分が身を置く環境中に存在する病原体を確認できません。つまり、雲、空気、水、食物の中の病原体を自ら見ることができないのです。それを可能にするのが、「バイオ天気図」です。専用のウエアラブルデバイスを身に着けることで、空気や水、食物、それから身体の状態を常時モニターできるようになるのです。

人々は天気予報を見て、傘をもっていくか、雨靴を履いていくかを決めたり、気圧の変化などによって体調に影響があるかどうかを判断したりできますね。それと同じように、「バイオ天気図」によって、あらゆる病原体――ウイルス、細菌、真菌などは常時監視され、病気の子どもを保育園に連れていくかどうか、子どもの病気は感染するかどうか、旅行に行くかどうか、判断するようになるのです。

この他には、顕微鏡レベルですべての成分の分子名を解読する技術の開発も期待されていますし、ゲノム編集の分野では「高精度編集」という技術の進歩も注目されています。クリスパー・キャス9は特定の遺伝子をノックアウト（削除）することに長けていますが、これはそのテクノロジーをさらに発展させ、高い精度で有用な遺伝子を挿入するなど、高精度な編集を目指すものです。塩基配列を削除せずに一つの塩基だけを置き換える手法やDNAの二重らせんの2本とも切断するクリスパー・キャス9に対し、1本だけ切断して新しい配列を挿入する方法など、いまもいくつかの改良型が開発されています。

すでに農業や医療では導入が始まっています。効果や安全性をきちんと分析するために適切な治験を行っていくことで、今後は、ワクチンのような予防医学や医薬品開発に活用されていくと思います。テクノロジーが順調に進化すれば、信頼性も高まりこうした技術を使ったワクチンや医薬品の価格も急降下していくことになるでしょう。

さらに別の事例もあります。たとえば、われわれは1匹のブタの遺伝子に42の変更を加えた新しいブタを生み出しました。これは、ブタからヒトへの臓器移植の実現につながるものです。ブタの数は現在、２０００匹まで増やすことができ、いずれヒトへその臓器を移植する臨床試験も可能になるという段階まで来ています。

同様に、われわれはゾウの遺伝子にも改変を行おうとしています。ウイルスに対する耐性が高く寒さに強いゾウ。象牙をねらう密猟者対策として、牙を小さくしたゾウ。過去に存在したゾウや、現在のゾウよりも環境に適応する品種をつくることができるのです。

また、ヒト幹細胞では、いまのところ約2万３０００回の編集を行ってきています。われわれはブタのもつ内因性[★1]ウイルス配列を排除しましたが、ゾウやヒトでも同じことをするつもりです。

★１　内在性ウイルスとも呼ばれ、過去に感染したウイルスが宿主（感染した相手）の生殖細胞に入り、ウイルスの遺伝物質がＤＮＡの一部となり、遺伝情報として子孫に伝わったもの。

人々が〝ゲノム専門家〟になる必要はないが、一定の知識は必要だ

――あなたは自らのゲノム情報を公表して利用できるようにしました。なぜ自らを実験台としてまで、情報を公表したのでしょうか。

チャーチ　理由の一つに、〝脱神秘化〟が挙げられます。端的に言えば、透明性ということになるでしょう。ゲノムテクノロジーは誰にでも使うことができ、理解できるテクノロジーだと示したかったのです。

多くの人にこのテクノロジーを共有してもらうために、われわれはシステムを構築し、自らのゲノム情報だけでなく病歴や細胞に関する情報も、本人が承認・希望すれば共有できるようにしました。

科学者が透明性を保つことはそれほど難しくはないと思います。実際、われわれのウェブサイトでは、何を行っているのかについてすべて説明しています。会社を立ち上げようとするときに特許権を提示するのは透明性の一形態であり、自社の最新テクノロジーを使って何をしようとしているかを正確に伝えることになります。これは世界的に行われている、そして私たち全員にメリットをもたらす情報の共有方法であり、発表システムだと思います。

――あなたが起業したネブラ・ゲノミクス社は人間のゲノム解析をサービスとして提供し、その手法を科学者以外の一般の人々にも公開しています。さらに、ゲノム解読にかかるコストを抑え、価格も手ごろな水準に設定し、人々がアクセスしやすくなるようにしてきました。１９９０年、あなたも立ち上げメンバーの一人である、国際的なヒトゲノム計画がスタートした当時、全ゲノム解析コストに30億ドルもの予算が組まれました。しかし２００７年には、およそ35万ドルまで引き下げられ、現在、ネブラ・ゲノミクス社では２９９ドルという低コストです。ここまでコストが低下すれば、誰でもこの技術を使えるということになりますが、〝テクノロジーをオープンにしていく〟ことがあなたのモットーなのでしょうか。

チャーチ　ヒトゲノム計画に用いられた手法は古いもので、２００3年に、解析結果が発表されたときにはすでに時代遅れになっていました。また解析の質も非常に悪く、多くのギャップが見られました。

ゲノム解析技術は進化しています。いまでは、母親由来と父親由来のそれぞれの配列を分ける技術を使うことで、エラー率は当初の1０００万分の1以下になっています。ゲノム解析に対する需要が多いため、待ち時間は長くなってしまうのですが、質だけではなくスピードも大幅に改善されており、解析自体は数日で行うことができます。こうした流れは今後も続くでしょう。

ゲノム解析について、先祖のことを知ることができたり、あるいは髪の毛や目の色などの身体的特徴を知ることができたりするものだと思っている人もいますが、この技術の真の価値は、キャリア・ステータス（遺伝性疾患の原因となる遺伝子をもつかどうか）を知ることにあると思います。これは子どもをもとうとしている、または、将来子どもをもつ可能性がある人々が、非常に重大な遺伝的疾患を回避できることを意味します。大金を投じて遺伝子治療を受けるのではなく、婚前・妊娠前の遺伝カウンセリングによって、生まれる子どもにリスクがあるかどうかを調べられるのです。

自分ががんにかかりやすいゲノムの持ち主なのかどうかを知ったうえで、治療を受けることもいまでは可能なのです。また、医療が充実しているほとんどの国や地域では、すでに何年も前から新生児に対する遺伝子スクリーニング検査を行うことも可能になっています。

いまお話ししたことは、すべて一般の人々が利用できるもので、世界中で公平にこうした医療技術へのアクセスが可能となるよう、われわれは努力しています。コストを下げるだけでなく、必要としている人に技術が行き渡るということ、そして技術が理解可能なかたちで提供されることも非常に重要だと思います。

プライバシー保護の問題が指摘されることもありますが、自分のゲノム情報を他人と共有するかどうかは選択できますし、強力なセキュリティ技術によって秘密として守ることもできます。ケース・バイ・ケースで、ゲノム情報の一部だけを共有することも可能です。

――システムの整備のほかに、ゲノムテクノロジーの普及に求められるものはありますか。

チャーチ　テクノロジーを公平に分配するカギは、人々に実際に実験に参加してもらい、一見複雑に見えるテクノロジーの単純なバージョンにふれてもらうことだと思います。そうすれば、人々はテクノロジーについて理解し、慣れ親しむことができるでしょう。

スマートフォンを操作するために、電子機器について専門家と同等の知識は必要ありませんが、デバイスに親しむことはとても重要です。地図アプリの技術的背景であるGPS衛星や、コンピューター・サーバーの構造を把握していなくても、ソフトウェアとインターフェイスが機能さえしていれば、自分の行っている操作を正確に理解できます。同じように、ゲノムテクノロジーを利用する際、人々は〝ゲノム専門家〟になる必要はありません。しかし、ゲノムについて一定の知識をもっていることは求められます。

ゲノムテクノロジーについての知識を市民のあいだに広く普及するためには、「何を求めているのか」「何が理解できないのか」「何を理解したいのか」など人々の声に耳を傾け、相談に乗る専門家のネットワークも不可欠です。これは、われわれが取り組んでいるプロジェクトの一つでもあります。

テクノロジーの〝公平な分配〟こそ、重視されるべきである

――ゲノム編集の応用には、さまざまな可能性があると思います。社会の役に立つとして期待される使い道がある一方、人々に不安を与えるような使い道もあります。その境界線をどこに引けばいいのでしょうか。テクノロジーの応用を巡る〝線引き〟の問題を、あなたはどう考えますか。

チャーチ　たとえば、倫理面の問題についての議論では、「滑り坂論法」を引き合いに出す人もいます。滑りやすい危険な坂道で、一度走り始めると止まらなくなり、一線を越えてしまう、と考えるわけです。しかし、車を運転するときを考えてみてください。制限速度という一線が定められていますが、実際にはそれよりも速く走ることができるわけです。他の多くの事例にも同様のことが言えます。食品や医薬品における安全性や有効性に関する規制も、一定のレベルで線が引かれていることに変わりはありません。

倫理面の問題について、私たちは心配し過ぎだという可能性があると思います。いまのところ、ゲノムテクノロジーは美容医療に使われていませんが、もしゲノム編集をそうした分野で

応用されたくないのなら、美容整形について新たに法整備を行えばいいのではないでしょうか。

加えて、線引きにあたっては、テクノロジーの公平な分配を阻害しないかという、倫理的な観点も踏まえなければなりません。全世界の人々に恩恵が真に公平に配布されている代表例は、天然痘ワクチンです。いまや天然痘は根絶が宣言され、すべての人が恩恵を受けています。こうした技術はもっと増えるべきでしょう。また、線を引く際には、安全性、有効性、公平な分配に加え、懸念を抱く人の声にも耳を傾け、丁寧にコミュニケーションを取っていくことも大切だと考えています。

――ヒト受精卵に対してのゲノム編集についてはどう思われますか。２０１８年に中国の科学者がヒト受精卵に対しＨＩＶウイルスへの耐性をもつようにゲノム編集を行い、実際に双子を誕生させたと発表しました。このことは、社会で論争を巻き起こし、厳しい批判を受けました。あなたはこの事件について、どのような意見をおもちでしょうか。

チャーチ　世代を超えて受け継がせたくないにもかかわらず、次世代へと受け渡しているものはすでにたくさんあります。生まれてくる次世代の子どもたちにとっては選択の余地なんてありません。たとえば、教育や文化などはまるで〝遺伝〟するかのように次の世代へと受け継がれますが、他と比べて受け渡す際の効率がよいわけではありません。

受精卵へのゲノム編集で、多くの修正ができます。また、生まれたあとにゲノム編集で改善できることもあります。しかし、あなたのおっしゃったケースについて申し上げるなら、HIVは年間200万人が亡くなる大きな問題であるものの、すでに抗レトロウイルス薬のようなより安価な治療薬がある状況では、ゲノム編集は解決策とは呼べないでしょう。

おっしゃるように、ヒトの胚へのゲノム編集は、出生に至らないものなら、すでに複数回行われています。しかし、何度実験が行われても、一般には採用されないテクノロジーはたくさんあります。たとえば、背中や足に装着する「ジェットパック」という飛行器具は実際に使えることが実証されましたが、ほとんど実用化は進んでいません。

今後普及するゲノムテクノロジーとしては、受精卵への応用よりも、たとえば老化防止などを目的とした遺伝子治療の方が可能性は大きいと思います。

世界で1年間に生まれてくる子どもの数は1億人程度。しかし、すでに生まれている人、つまり2021年現在の世界人口は78億人です。私たちには、すでに生まれている人に効く治療法が必要なのです。世代間の遺伝情報の継承や遺伝子の改変などを心配する気持ちも理解はできますが、それは大人への治療でも起こることです。胚へのゲノム編集だけに注目してゲノム編集そのものを心配するのは、大人になってから私たちの体に起きうるリスクを十分に心配していないように思えます。

――１９７８年にはじめて体外受精で赤ちゃんが生まれたとき、「医者が神を演じている」などと大論争が巻き起こりました。しかし、しばらくすると、体外受精はふつうに行われるようになりました。受精卵のゲノム編集に関しても、テクノロジーの進化とともに、人々の見方が変わる可能性はあると思いますか。

チャーチ　医療技術の試験期間は長期にわたるため、受精卵のゲノム編集がすぐに一般的になるとは思いません。一般的になるのは、すでに生まれている人々に効果がある遺伝子治療の方でしょう。

ちなみに、世代から世代へと受け継がれるのは、縦方向の〝家族のＤＮＡ〟だけではありません。〝文化的・社会的継承〟とも言うべき、横方向の継承も同じように強力です。「ＤＮＡの継承こそが最強である」と考えることはやめるべきだと思います。ＤＮＡを書き換えることにはまだ技術的な課題もあり、その導入には時間がかかります。対照的に、文化的・社会的継承における革新は非常に早く普及し、何世代にもわたってとどまります。

――たとえば、ゲノムテクノロジーに対して恐れを抱いている人々の反応として、「バイオテクノロジー

は果たして安全なのだろうか」「これは、〝神の領域〟を侵犯する技術なのではないか」などが典型として挙げられますが、こうした懸念についてのお考えをお聞かせください。

チャーチ　私は人々を安心させようとはしませんし、「心配するな」と言わないようにしています。ゲノムテクノロジーに関する批判の中には、どのような技術が使われているのか、正確な理解をせずに行われているものも少なくありませんが、実際には、人々の理解は必ずしも遅れているとは思いませんし、懸念を抱くこと自体は悪いことではありません。

科学を危険に見せる映画を好まない研究者もいますが、『フランケンシュタイン』や『ジュラシック・パーク』のように、科学技術が失敗する可能性があると想像するのはよいことだと思います。なぜなら、想像し、そうしたことが起こらないようにするにはどうすればいいかとあらかじめ議論することによって、失敗を回避できるかもしれないからです。

ですから、新しいテクノロジーについてのネガティブなストーリーに対しても耳を傾けるべきだと思います。その一方で、天然痘の事例のように、「公平に分配された科学の成果」として成功したポジティブなストーリーについて言及し続けていくことも大切です。

――ゲノム編集については倫理面での懸念や批判がある一方で、医療分野への応用が進んでいます。われ

われは、クリスパー・キャス9を用いた治験によって、末期がんの症状が改善したという患者を取材しました。このテクノロジーによってかつてなかった医学的恩恵が受けられる機会が生じるなら、逆にテクノロジーを使わないことが非倫理的になるかもしれません。

チャーチ　甚だしい痛みや苦しみが防げる治療法がある場合、それを使わないことは非倫理的になると思います。

早期発症の疾患に限らず、アルツハイマー病のような後期発症の神経変性疾患についても、治療には人生の早い時期に行動を起こすことが必要です。現在の治験の仕組みでは、こうした介入がうまくいくか、悪い結果をもたらすかを知るには、人間の成長・加齢を追跡するための長い時間を待たなければならず、その結果を見て、ようやく次のサイクルに進むことができます。しかし、それでは医薬品開発サイクルとしては長過ぎ、ビジネスとして成り立ちません。

むしろ、急成長しているテクノロジーやイノベーションを活用し、たとえば2年間の期間を設け、60歳の成体で老化に対して逆転的な現象が見られるかどうか、集中的なリサーチを行うなどの試みに、大きな可能性が期待できます。がんなど多くの疾患は加齢が大きな要因になっていますが、〝老化の逆転〟は魅力的な成長産業で、大きな市場が見込めますから、2年どころか数週間で、このような研究開発ができるかもしれません。

ゲノムテクノロジーによって、超人は生まれるのか

――ゲノム編集によって背を高くしたり、体を強くしたり、走るスピードを速くしたり、IQを高くしたりすることは、もはやSFではなくなったと指摘する人もいます。スティーヴン・ホーキング博士も「遺伝子編集は、優れた遺伝子をもつ者ともたない者に人類を分断する可能性がある」と予測していましたね。

チャーチ 実際のところ、ゲノム編集の技術を使わなくても、人間はすでに高度に改良されており、祖先に比べれば、私たちは超人だと言えるでしょう。そして、将来世代はいまよりもう少し改良が進む可能性があります。

平均的に言うと、各世代は前世代よりも寿命が長く、よい教育を受けています。移動速度だけ取ってみれば、まさに超人ですが、これは私たちの足が速くなったからではなく、ジェット機のおかげです。ゲノム編集によって、ロケットほどの高速で宇宙を通り抜けられる身体を得ることは不可能であり、移動速度の進化はむしろ、物理学によるものです。

一方、ワクチンは、私たちを改良した技術の一つです。ワクチンがあるおかげで、私たちは感染力の強い、致死性の高いさまざまな病原体が存在する環境にも足を踏み入れることができます。このような種類の改良について心配する人はほとんどいないでしょう。

こうした改良が行われるにあたっては、ゼロリスクは難しくても、慎重に調査を行い、リスクが極めて小さいものであることを確認し、さらに長期的な影響や他の治療法との相互作用を明らかにしなければなりません。また、効果的に公平な分配ができるように注意し、世界の一部の地域や一部の階級だけでなく、すべての人に利益をもたらすようにしなければいけないと思います。実際、先ほども言及した天然痘のワクチンは富裕層も貧困層も分け隔てなく接種されました。これと同じことが、新しいバイオテクノロジーでも起きるべきでしょう。

また、背が高い、強い、速いということが、以前ほど大きな利点となるかどうかは明確ではありません。何百年も前なら、背が高く、強く、速ければ、他の人々を叩(たた)きのめして、王様になることができたでしょう。でも、現代ではそのようなことは起こりません。ゲノム編集で知能を高めることについては問題になる可能性がありますが、いまや私たちはあらゆる知識に自らアクセスすることができるのだと考えれば、ゲノム編集をしなくてもすでに改良されているとも言えます。

いずれにしても、電子機器であれ、生物の脳であれ、非常に複雑なシステムを操作する場合、欠陥を修正するには長い時間がかかります。改良しようと努力しているあいだに、それまでの努力が台なしにされていないかを常に確認する必要があるでしょう。

――「見た目をもっとよくしたい」「より賢くなりたい」「より健康になりたい」というのは、人間の根本的欲求だと思います。便利なテクノロジーが登場すれば、私たちの欲望も刺激されるというのが世の常ですが、テクノロジーを正しく使うために、私たちはこの内なる欲望をどう捉えたらいいのでしょうか。

チャーチ　私自身も同様の懸念を、バイオテクノロジーに限らず、新しいテクノロジー全般に対して抱いています。実際、これまで登場した強力なテクノロジーのほとんどは、少なくとも最初のうちは恐れられ、否定されましたし、人々がそれらのテクノロジーを理解するのに数世紀かかったこともありました。しかし、新しいテクノロジーを恐れて一歩も動かないのではなく、恐れがあるからこそ、可能性が生まれると考える必要があると思います。

テクノロジー全体を否定するのではなく、新薬や新しい機械の開発で行っているように、安全性をテストすることが必要です。その際、治験に参加するボランティアは、自分がどういったテストに参加しているのか、把握しておくべきでしょう。ただし、自動車の衝突試験でロボットやマネキンが人間の代役を務めるように、最初は人間や動物ではなく、ヒト臓器の代用品を使って、バイオテクノロジーの安全性をテストするケースが増えていくと思います。

見るべきはメカニズムではなく、結果である

――私たち市民は、どのような観点から、ゲノムテクノロジーについて議論していくべきでしょうか。

チャーチ　三つのテーマを、議論してほしいと思います。

一つ目は、感染症についてです。

雲や嵐が広がるように、私たちの周りにある空気、食物、水の中に存在する既知の病原体がどのように広がるかを、バイオ天気図に示すにはどうすればいいか――。そして、「なぜ私たちはいま、バイオ天気図に取り組んでいないのか」「なぜ、天気の急変を心配するように、病原体を心配していないのか」と自らに問いかけるべきでしょう。

二つ目は、遺伝性疾患について。

「なぜ、私たちは感染症だけを心配し、遺伝性疾患を心配しないのか」と疑問に感じることが重要です。深刻な遺伝性疾患に自分の子どもが罹患し、痛みを伴って早世すれば、家族全員が悲しみに打ちひしがれることになるでしょう。このような可能性を考えないなどありえないと、私は思います。

これら二つの問題に取り組んだら、三つ目のテーマとして北極圏と砂漠での炭素隔離という

重要な問題について議論を進めるべきでしょう。
　二酸化炭素の排出を削減するため、バイオテクノロジーによって世界中の砂漠と北極圏で炭素隔離を進められるのではないか――。加速する気候変動に対しても、バイオテクノロジーが果たせる役割があるはずです。

――これからバイオテクノロジーのさらなる進展とともに生きていく若い世代に向けて、メッセージをいただけますか。

チャーチ　特に、ＳＮＳなどのネットコミュニケーションに長けた若者たちには、これらの問題についていま起きていることを知り、ぜひ自分の考えを発信していってほしいと思います。どの世代でも対等な立場で、科学や文化に貢献することができるのです。
　今後、ほとんどすべての仕事がバイオテクノロジー革命の影響を受けることになるでしょう。かつて、すべての仕事は産業革命の影響を受け、電気、機械、電子工学の技術革新の影響を受けてきました。だから、ツアイトガイスト（ドイツ語で「時代精神」）に合わせ、何が起きているかに耳を傾けましょう。そして、このテクノロジーの革命に参加し、〝投票〟しましょう。

――「投票」とは具体的に、どのようなことを指すのでしょうか。

チャーチ　若い世代の皆さんには、先ほど申し上げた三つのテーマにバイオテクノロジーを応用すべきかどうかについて、自分なりの意見をもってほしいと思います。そして、「もし応用すべき」だという立場を取るのであれば、技術を安全に使うために、どのような注意を払われるべきなのか、考えてほしいのです。繰り返しとなりますが、新しいテクノロジーに対しては、「無条件に拒否できるか」ではなく、「どうすれば安全なのか」を考えることが重要です。無条件に拒否するなら、進歩も、リスクからの保護も、将来性もありません。

――あなたの考えでは、誰もが科学に興味をもち、テクノロジーを駆使していくことで社会に影響を及ぼす原動力になるということですね。しかし、最も重要なことは、それが社会にとって有益なものである、ということではないでしょうか。

チャーチ　そのとおりです。私たちに避けられないものはありません。私たちは犠牲者ではないのです。テクノロジーによってすでに与えられている可能性に思いを巡らし、自分が長期的には何を望んでいるかを決める必要があります。テクノロジーのメカニズムについて過度に焦点を合わせるのではなく、その結果に焦点を合わせる必要があります。「遺伝子のテクノロジーだからよい」、もしくは「遺伝子だから悪い」と考えることに意味はありません。起きうる悪い事態を予測し予防しながら、テクノロジーがもたらす結果だけを考えるのです。

インタビュー 3

エルヴェ・シュネイヴェス

ゲノム編集は いまだ不確実であり、私たちはいまだ無知である

Hervé Chneiweiss

1957年、フランス・パリ生まれ。神経内科医・神経生物学者。IBC（ユネスコ国際生命倫理委員会）議長（2019年～）。2000～2002年、フランス政府の生命科学・生命倫理に関する技術顧問を務め、その後、INSERM（フランス国立保健医学研究所）倫理委員会委員長、ARRIGE（ゲノム編集における責任ある研究と革新のための協会）副会長などを歴任。2006年からの10年間は、医学雑誌「Médecine/Sciences」の編集長として社会に向けて積極的に情報を発信。生命倫理についての国際的な議論を牽引する一人である。

人類はヒトゲノム編集の技術をどのように使うべきなのか。2019年からIBC（ユネスコ国際生命倫理委員会）の議長を務めるエルヴェ・シュネイヴェス氏は、技術開発の急速なスピードは今後、こうした議論をさらに推し進めることになると話す。

「なぜ、技術を活用することがいけないのか」「ゲノム編集で、健康で賢く容貌の優れた子どもが生まれることのどこが問題なのか」という意見に対し、シュネイヴェス氏は、「技術はいまだ不確かであり、SFの世界のようにはならない」と慎重な姿勢を崩さない。

自分たち専門家の判断の一つひとつが未来の世代に大きな影響を及ぼす以上、かつてないほど人類に対する重い責任を担っている――シュネイヴェス氏はそう考えている。

その一方、インタビューの中でシュネイヴェス氏は、私たちはゲノム編集をはじめとするテクノロジーを理解し、時間をかけて人類の文化の一つとして取り入れる勇気をもつべきであり、「ヒトゲノムに関する技術についてルールを決める際には、科学者だけの判断に任せず、多くの人々がオープンな議論を尽くすべきだ」と繰り返した。「科学技術の進歩が速過ぎてついていけない」「なんだか怖い」と問題から目を逸（そ）らし続けているうちに、自分たちの子孫、そして他の生物や環境に大きな影響を及ぼす可能性のあるルールがいつのまにか決定されている、という事態だけは避けなければならない。もはや無関心では済まされないのだ。2030年に向けて、私たち市民の側に大きな問いが向けられている。

知っておくべき二つのこと

――革新的なゲノム編集技術も登場し、人類が「生命の設計図」であるゲノムのＤＮＡを自由自在に操作できるようになると言われています。また、近年の技術の進歩により、ヒトゲノムの解析コストは急速に低下し、10年後の２０３０年にはほぼゼロに近づくとの試算もあります。これらを踏まえて、２０３０年は人類にとってどのような意味をもっていると思いますか。

シュネイヴェス　これまで、人々はテクノロジーの進歩に対してあまり関心をもってはいませんでした。しかし、さまざまな領域で驚異的な技術革新が起きた結果、私たちはもはや単なる消費者ではいられなくなりました。２０３０年にはいまよりさらに、テクノロジーの使い方について考え、理解することを強いられるようになるでしょう。テクノロジーの進歩が、私たちの、そして次の世代の生活に及ぼす影響の大きさについて、誰もが認識せざるをえなくなるからです。

「テクノロジーに対する責任」という概念は、過去50年と比較した際、すでにまったく異なるものになっています。ゲノム編集技術がどのように私たちを変えるのか。そして、子どもたちの身体をどのように変えてしまうのか。私たちはどのようなリスクを負うことになるのか。それは子孫に遺伝するのかどうか。テクノロジーの使い方がもたらす結果について、さまざまなことを考える必要があります。

２０３０年に何が起こるかは、私たちが２０２１年の今日、どのように行動するかにかかっています。私たちの負っている責任はとても大きいのです。

――すでに科学者たちは、人類の運命を変える技術をもっています。このゲノム編集技術の使用にあたって、どのような対策を取るべきだと思いますか。

シュネイヴェス　ゲノム編集技術をどのように使うかについて考えるとき、次のような重要なポイントがあります。

一つ目は、ゲノム編集技術の不確実性を認識し、また現状、私たちがこの技術について非常に無知であると認識することです。

たとえば、ＤＮＡを切断したり、切断した部分に別の遺伝情報を挿入したりする方法はわかっていますが、ゲノム編集に伴うすべての変動要素をコントロールできているわけではありません。ゲノムを編集する際に的外れにカットしてしまうことも起こりえます。ゲノムは動的な存在であり、私たちがまだ知らない情報をもっています。不確実性や予測できない未知の部分がある以上、技術の使い方についての議論は慎重に進めなければならないのです。

　二つ目に、致命的な病気の治療や根治のためにゲノム編集を行うことと、子どもの外見を優れたものにしたいなどの目的でゲノム編集を行うことは、意味が違うと知ることです。

　病気に対してであれば、自分で判断して行うかどうか決められる部分もあるでしょう。自分自身に手を加える場合は、個人の判断でいいのかもしれません。しかし、将来の世代に影響を与えるような手の加え方や、動物界や環境に影響を与えるような場合は、どのような条件で使用し、また、どのような条件で使用を禁止するかを決めるために、集団で熟考・検討し、判断するべきです。なぜなら、その判断は現在だけでなく未来に関わることであり、社会を巻き込むものだからです。

ゲノム編集で賢い赤ちゃんはつくれない

――中国の研究者が双子の赤ちゃんの遺伝子を編集し、実際に誕生させたことについてどう思いますか。

シュネイヴェス　テクノロジーの進歩によって、実現可能になったからといって、実行することが正しいとは限りません。それはあくまで、「実現可能である」ということに過ぎないのです。しかし、賀建奎氏は本当にゲノム編集によってヒトの赤ちゃんをつくり出してしまいました。彼が起こしたことは、嘘と詐欺の結果であると認識すべきです。社会には常に悪巧(わるだく)みをする人や、集団と異なる行動をする人がいるものです。

　賀建奎氏が行ったことは、三つの点でスキャンダラスです。

　一つ目は、科学的に準備ができていない実験を行ったことです。残念ながら彼が得た結果は、現在のゲノム編集技術がいまだ未熟であることを示しました。

　二つ目は、医学的な観点からのものです。彼が実験対象にした受精卵には治療すべき病気も重篤な病気の兆候もありませんでした。また、実験の目的であるＨＩＶ感染を防ぐ方法は他にもあるのですから、やはり受け入れることはできません。

　三つ目は、集団的な議論を経(へ)た実験ではなかったことです。先ほど申し上げたとおり、胎児に対して手を加える場合、つまり人間の未来を変えようというとき、それは社会的な熟慮、つまり共同体全体の熟慮を経た決断でなければなりません。しかし、彼は不可能なことを約束して人々を騙(だま)し、集団的な意見を考慮しませんでした。

　彼のしたことは、三つのレベルで〝面汚し〟な行為であり、スキャンダラスです。だからこそ、科学界、医学界、そして意識の高い市民が、この実験を非難しなければならないのです。

――ヒトゲノム編集の技術的な精度が現在より向上していけば、「賢くハンサムで健康な子どもがほしい」と考える人々が出てきてもおかしくないと思います。そうした人間のエゴイズムをどうやってコントロールするのでしょうか。

シュネイヴェス　ゲノム編集があらゆる願いを可能にするというのは、SFです。ゲノム編集では、ゲノムの改変はできますが、運命をつくり変えることはできません。人間を人間たらしめているのは、環境に応じて遺伝子を調節するエピジェネティクス★1であり、遺伝子配列よりもはるかに多くの環境要因が私たちの遺伝子のはたらきに影響を与えているのです。ゲノム編集で賢い赤ちゃんはつくれませんし、そのようなことをしなくても、育て方によって子どもの知的能力を伸ばすことができるでしょう。人間が知的であるか愚かであるかを決めるのはゲノムではありません。

なぜ私たちがテクノロジーを使うのか、を問い直すことが必要です。医学的問題の解決のためにテクノロジーを使うことには、誰もが納得します。子どもの命を救うためであれば、メリットとデメリットははっきりしています。また、重い病気にかかっている人、たとえばがんで死にそうな人がいて、新しいテクノロジーによってその病気を治すことができたら、その意味は明らかです。

しかし、背を高くするとか目の色を変えるということになると、テクノロジーを使う意味が疑わしくなってきます。医学的に求められている以上の技術の使用を要求するという動きは常にあり、これは社会の問題でもあります。「背が高くて、金髪で、青い目の人がいい」というように、私たちは常に〝ユートピア〟を想像するからです。

私は、人間は利己的であるよりも、集団として一緒に行動する方がより多くの利点があるということ、そしてそれは人類の歴史の中で常に証明されてきたのだということを示したいと思います。これは、ゲノム編集で変える必要のない、もう一つの理想の人間像であり、私たちが取り戻すべき人間性ではないでしょうか。

★1 「生命の設計図」と言われるDNAには、いわば〝スイッチ〟があり、オンとオフを切り替えることで、生体内ではたらきを変えている。エピジェネティクスとは、細胞核内のDNAを取り巻くさまざまな化学物質がそのオン・オフを司っているメカニズム、およびそのメカニズムを研究する学問分野のこと。多くの疾患には、遺伝と環境が要因として関わっているが、エピジェネティクスの観点からは、遺伝だけでは説明のつかないものについて、食事や運動をはじめとした生活習慣などの変化、つまり環境要因が重要視される。

障がいは生まれる前にコントロールすべきものなのか

――ゲノム編集を人間の能力を高めるために使うべきだと考える科学者もいます。それについてはどのように思いますか。

シュネイヴェス　明確なのは、私たちは他人のまなざしの中に存在しており、他の人が存在するから私たちが存在するということです。最も弱い人々に目を向け、そういった人々をできるだけ安定した状況に置くようにしなければなりません。

もし、障がいのある人の苦しみを改善し、治療できる可能性があるなら、それはすばらしいことです。しかし、障がいのあることも含め、その人がその人らしくよい人生を歩んでいるのであれば、私たちはその事実を尊重しなければなりません。

たとえば、聴覚障がい者の中には、音を増幅させる機器、つまり補聴器で世界とつながることを好まない人もいます。補聴器の品質の向上という問題はさておき、彼ら・彼女らは、耳が不自由でも手話で他人とコミュニケーションを取ることに慣れているし、（補聴器ではなく手話を使うという）自分たちの選択を尊重してほしいと考えているのではないでしょうか。

また、障がい者として扱われたくないと思っている人たちも大勢います。彼ら・彼女らも、そうした自分たちの考えを尊重してほしいと思っているのではないでしょうか。他者を尊重することは、人間性の、そして倫理の基本です。誰も、他人に「あなたはこうでなければならない」と言う権利はありませんし、人間の多様性は、人類の財産として認識しなければなりません。

――テクノロジーを使用することで、健康かつあらゆる面で優れた子どもをもつことができるとして、それはなぜいけないのでしょうか。

シュネイヴェス　単一の基準を満たす、絶対的に標準化された人間を求め、原理的にその基準にあてはまらない人々を分離、差別、排除することを求めてきた優生学は、あらゆる手段を講じて戦わなければならない悪質なイデオロギーです。残念なことに、20世紀の歴史では、ナチスの優生学が断種や虐殺といった悲劇をもたらしました。そうしたことを二度と繰り返してはなりませんし、科学者が優生学を支持してはならないのです。

――ゲノム編集で障がいのある人が生まれないようにすることを支持する科学者のあいだには、「いまや過去の倫理にとどまるのではなく、倫理を再発明するときだ」という意見もあります。彼らが言うように、倫理の意味は時代によって変わるのでしょうか。それとも、常に変わらない価値観はあるのでしょうか。

シュネイヴェス　新しいテクノロジーは、人間を認識する方法について新たな疑問を投げかけます。とてつもない速度でテクノロジーが進んでいるなかでは、特に倫理について、「自分は真実をわかっている」と言わないように気をつけるべきです。

私の考えでは、時代が変化しても、人間の倫理観が根本的に変わるとは思いません。ヨーロッパ文明では古代ギリシャ以来、アジア文明では古代儒教やその他の文明以来、人間を人間として定義する原則は、基本的には不変だと言っていいのではないでしょうか。それは次のようなことです。

洞窟に住んでいた7万年前から今日まで、私たちは他者を必要とし、一人ではいられない、そして、自分自身を尊重してもらう必要がある――。これは変わっていません。変わっているのは、私たちのもっている可能性や、私たちが存在するこの世界に対する理解です。これらは進化するものだからです。

たとえば、ゲノム編集の可能性は、２０１２年にクリスパー・キャス９の機能解明がなされたことで飛躍的に拡大し、２０１５年には白血病の赤ちゃんの命を救い、あるいは２０２０年や２０２１年にはがんの免疫療法や希少疾患を治療するための多くの治療法として結実しました。今後数年のあいだに、鎌状（かまじょう）赤血球症のような病気や、いくつかのがんの治療が可能になるでしょう。

倫理について問い直すのではなく、「私たちがもっている知識とは何か」と問うべきです。知識や技術の可能性が発展するにつれ、古い問題を新しい事実に照らし合わせて再検討する必要があります。それが生命倫理的なアプローチであり、だからこそ発展があるのです。

たとえば、われわれ専門家は、ヒトゲノム編集の問題を考えるとき、孔子や老子、イマニュエル・カント（18世紀ドイツの哲学者）、ジョン・ロールズ（20世紀アメリカの哲学者）から受け継いだ概念を使って、現在を問い直しています。しかし、彼らの誰一人としてヒトの胚を見たことはなく、ゲノムを編集する能力をもったことはありませんでした。今日、先哲（せんてつ）たちを一堂に集めて、「あなたたちなら、どうするのか」と問うことができたら面白いでしょうね。

議論を決定付けるのは市民であるべき

――テクノロジーの進歩が速過ぎて、一般の市民はついていくのが難しいことについては、どう思いますか。

シュネイヴェス　おっしゃるように、市民のあいだでの議論が限られている理由に、科学技術があまりにも速く進むため、多くの人が「自分には難しい」と思っているということがあります。科学の時間はとても速く進みますが、個人の時間、社会の時間はそれよりもっとゆっくり進むものです。

すべての人がゲノム編集技術について理解し、自分たちの生活に関わることとして行動することは困難かもしれませんが、テクノロジーによって何を実現したいのか、一市民として考える必要はあるでしょう。ゲノム編集は社会全体の問題ですから、議論を決定付けるのは、科学者やエンジニアではなく、市民であるべきです。

社会はこれまで、テクノロジーの急速な進歩に驚いたあと、非常に迅速に反応してきました。これからも常に反省し、物事を見直しながら、私たちがともに暮らしていくための方法を生み出すはずです。

たとえば、携帯電話やインターネットは、いまや私たちの文化やコミュニケーションの一部になりました。ゲノム編集やＡＩにおいても、私たちがそれを理解し、私たちの文化に取り入れるための時間をかければ、同じことが起こるでしょう。これは、科学と文化のあいだの相互関係の問題で、いつの時代も科学と文化は混ざり合うものです。

ゲノム編集について付け加えるなら、人々が「これは怖い技術だ」「奇跡的な技術だ」と恐れたり、畏怖（いふ）の念を抱いたりしていることが議論を妨げていると言えます。これには、メディアがスキャンダルや〝奇跡的な技術〟についてしか報じないということも影響しているのではないでしょうか。

賀建奎氏が香港で発表を行った翌日に、われわれは同じく香港でゲノム編集についての公開討論会を開き、市民参加を呼びかけました。しかし、彼の会見には会議室に入れないほどジャーナリストたちが群がったのに、この公開討論会の取材に来るメディアはなく、まったく報道されませんでした。

ヨーロッパの多くの国が、科学技術の進歩に関する公開討論を民主主義の重要な課題とする方針を表明していますし、現在、フランスの生命倫理法では、法改正の前に市民討論会を開催しなければならないと定められています。テクノロジーについて市民が決めるべきことは多く、市民は自分の権利行使を要求しなければならないと、私は思います。

私たち一人ひとりにこの世界を新たにつくり出していく責任があり、子どもたちに残す世界への責任があります。誰もが一市民として、ゲノム編集技術に関する決定に参加すべきなのです。

——一般市民がゲノム編集の問題について考え、議論するために最も重要なポイントは何だと思いますか。

シュネイヴェス　まず、ゲノム編集が、人間や植物、動物の未知の宇宙を発見する科学であることを認識し、このテクノロジーによって拓かれる可能性に対して好奇心や驚きを共有することです。物事や知識が非常に速く進むこの21世紀に生きていることは幸運だと、私は思います。
　それから、私たち一人ひとりが情報を得る力をもっていることを理解してほしいと思います。前世紀の人々がアクセスしたくてもできなかった知識に私たちはアクセスすることができ、さらには物事の決定に参加するチャンスをもっています。このチャンスを無視することは、自分の意見を述べる権利をもたなかった先人たちのことを考えれば、恥ずべきことではないでしょうか。

――市民が議論を進めるために、政治家はどのような役割を果たすべきでしょうか。

シュネイヴェス　政治家は、市民に対して説明責任を果たさなければなりません。そして、市民を代表する責任があり、また、未来の市民について考える、つまり、来るべき世界を準備する責任も担っています。
　しかし科学者や医師と同様、優秀な政治家もそうでない政治家もいます。往々にして、政治家は科学的な問題について無知なうえに、速く進みたがり、非常に複雑な問題を3行でまとめてほしいなどと言います。また、残念ながら、近年、少なくない政治家が、真実のニュースや科学的事実よりも、フェイクニュースやSFを好むようになってきているようです。コロナ・パンデミックにおいて生じた混乱は、そうした政治家たちがもたらした劇的な影響を顕著に示していますが、逆に、ある政治的決定が極めてポジティブな影響を与えることもあります。
　いずれにせよ、政治家は、選ばれた市民の代表に過ぎないのですから、私たちは彼らに、業務の遂行を要求すべきです。私たちは政治家に対して、科学やテクノロジーを尊重すること、科学的事実を尊重すること、ニュースを捏造しないことなど、責任ある市民として行動することを求めなければなりません。一方、よい政治家を残し、悪い政治家を排除するのは、市民の責任だと言えるでしょう。

ゲノムは管理すべき「人類の遺産」である

――私たち市民がテクノロジーの過度な進歩をコントロールできなかったとしたら、社会にどのようなことが起きるでしょうか。

シュネイヴェス　ルールや法律を整備せず、完全になりゆき任せになると、不正行為や不祥事が起こりえます。議論すら行わないまま、このような強力な技術が、透明性のない状態で使用されることは認められませんし、私たちは選択肢を取り戻す必要があるでしょう。

科学技術の専門領域に属する問題であっても、信頼できる情報を基に議論する場が必要であり、民主的に物事を決定する機会が求められます。まず、科学者は、自分が知っていることと、知らないことを意識せねばなりません。そして、未来の消費者、未来の患者、未来の市民に、これらの技術を使うか使わないかの選択肢を与えなければなりません。

――あなたが議長を務めるＩＢＣでは、どのような議論が行われているのでしょうか。

シュネイヴェス　１９９３年に創設されたＩＢＣは、日本人も含めた世界各国36人の委員で構成されています。ＩＢＣの使命は、これまでに提唱されてきた普遍的な宣言、特に１９４８年に国連総会で採択された世界人権宣言の思想を基盤に、ヒトゲノムのさまざまな展開について議論を深めることです。ＩＢＣが案を策定し、１９９７年にユネスコで採択された「ヒトゲノムと人権に関する世界宣言」は、この分野では重要な国際宣言となっています。ＩＢＣ議長である私の役割は、委員たちの意見の調整を行い、考察を導くことで、２０１５年には「ヒトゲノムと人権に関する報告書」を発表しました。

２０１８年から、われわれは日本政府の協力を得て、ゲノム編集技術の倫理に関するラウンドテーブル（円卓会議）を一般公開で行っており、そこには世界中の市民が参加して、活発な議論を交わしています。その模様はユネスコのウェブサイトで見ることができます。オープンで自由、かつ無料で議論の場を構築することが必要です。

そして公開討論会での議論は、科学的事実に基づいて行われなければなりません。そうでなければ、何でもありの空想の世界になってしまいますから。われわれに求められているのは、科学的知識と、その科学的知識の限界を探るうえで必要になる、信頼できる情報の提供です。市民がその情報を使って何をすべきかを決めることができるよう、役に立つものを提供しなければなりません。

私が副会長を務めるＡＲＲＩＧＥ（ゲノム編集における責任ある研究と革新のための協会）も、２０１８年に設立されたまだ新しい団体ではありますが、人々がゲノム編集について考えを深められるよう、科学的に信頼できる有効な情報を提供しています。

最も重要なのは、誰もが議論に参加できると感じることです。ＡＲＲＩＧＥには日本を含めた60か国が参加しており、文化や言語の多様性が存在します。それゆえにアプローチの多様性が生まれ、さらには「この情報を使って誰に何をしてもらいたいか」を選ぶことができるという選択の多様性も存在するのです。

――ヒトゲノム問題に関する国際的な規制をつくることの重要性について、どうお考えでしょうか。

シュネイヴェス　１９９７年のユネスコ「ヒトゲノムと人権に関する世界宣言」第一条には「ヒトゲノムは、人類社会のすべての構成員の根元的な単一性並びにこれら構成員の固有の尊厳及び多様性の認識の基礎となる。象徴的な意味において、ヒトゲノムは、人類の遺産である」（文部科学省の訳）と記されています。

忘れてはならないのは、ゲノムは「人類の遺産」、つまり、私たち全員の財産だということです。しかしそのことは同時に、私たち全員に責任があることも意味します。共通の財産があるならば、皆で一緒に管理しなければなりません。遺産を相続する場合、どうやって管理するか、家族で話し合わねばならないのと同じです。

そして共通の責任を果たすためには、国際的な規制が必要です。国ごとに規制の基準が異なり、ばらばらの法律が存在するという状況は、ヒトゲノムを巡る不法取引を活発化させることにつながるでしょう。現在行われている生殖ツーリズムや医療ツーリズムのように、〝ゲノム・ツーリズム〟が富裕層のあいだで流行することになってしまうかもしれません。

私は他の研究者とともに、ヒトゲノム編集技術を利用するにあたってのガバナンス（規制枠）案についての提言書を、ＷＨＯに提出しました。われわれの提言は非常に実際的で、ＷＨＯ単体でもすぐに実行が可能な内容も含まれていますし、ユネスコなどの国連機関で実施が急がれるものもあります。一方、各国の規制当局レベルでの会議を必要とするものもあります。

ただし、これらが各国で具体的に法整備されていくプロセスは、それぞれの国の文化、歴史、伝統、民主主義のルールに適応したものでなければならないと思います。そのためには、可能な限り包括的なアプローチを取ることが求められます。われわれは長い時間をかけて、各国の規制当局や市民団体、先住民族のコミュニティ、宗教団体など世界中の多岐にわたる人々と話し合ってきました。そして、多様な観点を考慮し、手続き上の問題や方法論なども検討しつつ、提言書を作成しました。

それらの提言を実現させるために、われわれ専門家も活動を継続させることになっていますが、それだけでは十分ではありません。一人ひとりの市民がヒトゲノム編集の問題について考え、自分たちの政府に対策を練るように希望を出すことによって、物事をよい方向に進められると思います。

進化するテクノロジーと共存するために

――もし技術が進化して、ヒトゲノム編集に関する不確実性をすべてコントロールできるようになったら、

私たちはこの技術をどのように使うべきでしょうか。

シュネイヴェス　何よりも大切なのは、すべての問題が取り除かれる、つまりテクノロジーが問題を解決してくれる、と信じないことです。私たちは、自分たちが無知であることを知らなければなりません。たとえ技術が進化しても、この先何が起こるのかは未知なのです。技術による解決策が見つかるかどうかは不確実であり、明日がどうなるかわかりません。

たとえば、「明日には浄化のための解決策が見つかるでしょうから」と、化学物質による汚染を看過することはできません。そんな賭けはできないのです。ですから、さまざまな問題をすべて検討しなければなりません。物事を断片化し一つの側面から見ていると、何も理解できなくなります。5Gについて議論を行う際には、地下鉄の中で映画を観ることができるなど便利な側面だけではなく、世界のエネルギー資源の10パーセントが充てられようとしていることについても考慮する必要があるのです。

気候変動、AI革命といった世界規模の大きな課題に直面する私たちは、グローバルな視点で物事を考える必要があります。ゲノム編集についても、同じことが言えるでしょう。

個人の正義を最も尊重するものは何か。意思決定の自律性を最もよく保つのは何か。治療に利用する場合の安全性はどうか。ケアへのアクセスはどうか。医療費はどうなるのか。そして、私たちにとって最も重要な価値をもつものは何なのか。

これらの問いかけを多様かつ幅広い観点で熟議し、メリットとリスクの最適なバランスを取っていくことが倫理的な柱であり、テクノロジーが飛躍的に発展するなかで、私たちが科学技術とよりよく共存していくための基本的ビジョンなのだと思います。

未来への展望

〝神の業〟は人類に委ねられた

森内貞雄（NHK報道局社会番組部）

アメリカ・カリフォルニア州のとある住宅街。

ここに一軒家を改装したラボがある。われわれ取材班を中に迎え入れたのは、ジョサイア・ゼイナーという人物である。鼻と耳に複数のピアス、派手なTシャツ。その外見は、パンクロッカーを思わせる。

ゼイナー氏はこのラボで、「ゲノム編集体験キット」の製作・販売を行っている。第1部冒頭の「いま何が起きているのか」で、クラゲの遺伝子を挿入し、耳やしっぽが光るようにゲノム編集を行ったマウスを紹介したが、ゼイナー氏は自分の編集キットを使えば、誰でも自宅で似たようなことができると豪語した。

編集キットはインターネットで販売され、10代から80代まで幅広い世代が購入しているという。ラボの一角に貼り出された世界地図には、キットを送付した場所がピン留めされている。

インターネットを通じて世界中に「ゲノム編集体験キット」を製作・販売し、「バイオハッカー」を名乗るジョサイア・ゼイナー氏

ゼイナー氏は誇らしげにこう語る。
「アメリカ国内だけではありません。日本、韓国、ヨーロッパ、アフリカ……世界中の顧客に編集キットを送りました」
　ゼイナー氏は、自らの体の一部にゲノム編集を施し、その様子を撮影した動画を公開してきた。動画の中の彼は、腕の表皮を刃物でえぐり、声を上げて痛がっている。血が滲(にじ)んでも、繰り返しえぐる。まさにパンクロッカーの過激なステージパフォーマンスを思い起こさせる光景だ。そして、えぐり出した皮膚から抽出した細胞に、ゲノム編集によって蛍光反応する遺伝子を組み込む。実験に成功すると、子どものように踊りながら喜ぶ。
　彼は、自らを「バイオハッカー」と称している。バイオ研究を、組織や企業が行うものから、個人が自ら行うものへと変えていきたいのだという。

ゲノム編集を庶民の手に

ゼイナー氏は自身の生い立ちについて、貧しい家庭に生まれ育った自分を救ったのは、科学との出合いだったと語った。大学に進学し、生物物理学の博士号を取得、卒業後はＮＡＳＡの研究者になったが、わずか2年で辞めてしまったという。

「自分を引き上げてくれる人や助けてくれる人はいませんでした。その結果、権威や権力をもつ人たちへの不信感が非常に大きくなっていったのです」

ゲノム編集が社会を変革する技術であると直感したゼイナー氏は、自ら資金を集め、編集キットの製作・販売会社を立ち上げた。

「ゲノム編集は非常に強力なテクノロジーです。アクセシビリティを高めることで、こうした科学技術に自分は縁がないと考えている人々に希望を与えたいのです。私が最も恐れているのは、一部の人間がゲノムテクノロジーを独占してしまうことです」

ゼイナー氏は、テクノロジーの恩恵は一般の人たちまで行き渡っておらず、大企業や政府に独占されていると主張する。その一例として挙げたのが、新型コロナウイルス感染症のワクチンを巡る問題だった。

「パンデミック下で起こっていることには、とても失望しています。ワクチンが手に入らない国では、毎日毎日、人が死んでいるのです。不利な立場に置かれている人がいるのです。医療やテクノロジーの不平等な分配を目の当たりにして、世界中の大衆の不満が高まり始めていると思います。私にとって最も重要なのは、誰もがゲノムテクノロジーの恩恵に与(あず)かるようにすることです」

WHOのテドロス・アダノム事務局長も確かに、2021年8月、これまでに世界で接種されたワクチンの80パーセント余りは、世界人口の半数に満たない高所得国などで接種され、途上国との格差が広がっているとの懸念を示している。ワクチンを巡る格差については、翌9月に開かれた国連総会においても、各国の首脳から危機感を訴える声が相次いだ。さらに、国連のアントニオ・グテーレス事務総長も「政治的な意思の欠如や利己主義、不信感がもたらした悲劇だ」と述べ、先進国などに対し、公平な分配に取り組むよう強く求めた。

ゼイナー氏は、個人にテクノロジーが拡散するのは望ましいことだと強調し、そして、その流れは今後、より加速していくと語る。

「ゲノムテクノロジーによって個人が影響力をもつことはすばらしいと思います。2030年までには自宅のガレージやアパートの一室で新たな発見が生まれるに違いありません」

ウイルスを人工合成した科学者

バイオハッカーについては、リスクを指摘する声も上がっている。ゲノム編集技術が無制限に拡散すれば、人類にとって脅威となる生物やウイルスが個人の手で生み出されてしまうのではないか――。

2017年、カナダの研究グループが発表した、ある論文が物議を醸した。この研究はゲノム編集を用いたものではないものの、技術拡散がもたらす〝最悪のシナリオ〟を考えるうえで、よい材料となる。なんと、天然痘ウイルスの近縁種である馬痘（ばとう）ウイルスの人工合成に成功したのだという。

天然痘は感染力の非常に強い感染症であり、古来、世界中で死に至る疫病として恐れられてきた。しかし、天然痘のワクチン接種（種痘（しゅとう））の世界的な普及を経て、1980年、WHOが天然痘の地球上からの根絶を宣言した。人類がはじめて感染症に勝利した瞬間だと言われる。そして2021年現在、自然界に天然痘ウイルスは存在せず、アメリカやロシアの研究機関などで厳重に保管・管理されているのみとされている。

なぜあえて、つくり出す必要があったのか――。交渉の末、論文の共同執筆者の一人であるカナダ・アルバータ大学教授のデイビッド・エバンス氏が取材に応じた。

２０２１年４月、取材班はエバンス氏の研究室にいた。デスクに置かれたパソコンに目をやると、モニターにＤＮＡの塩基であるＡＧＣＴの膨大な組み合わせが並んでいる。エバンス氏は人工的に遺伝子を合成するサービスを提供しているドイツの企業から馬痘ウイルスの遺伝情報の断片を購入し、それらをつなぎ合わせてウイルスを半年間で合成したという。

「合成技術を使ってウイルスを再現すること自体は新しいことではありませんが、今回の研究成果が画期的なのはそのスケールです。２００２年にはじめて合成されたポリオウイルス〈感染症の一種である急性灰白髄炎（かいはくずいえん）〈ポリオ、俗に小児麻痺（まひ）という〉を引き起こす病原体〉は、約７５００塩基対に過ぎません。一方、われわれが合成した馬痘ウイルスは21万２０００塩基対です。これほど大きなウイルスをつくった研究者はいません」

そして、研究の目的については、天然痘が復活しふたたび蔓延（まんえん）するリスクに備え、合成したウイルスがワクチンとして機能するかどうかを検証したかったと語り、今後はこの成果を基に安全なワクチン開発につなげたいと展望を示した。

しかし、論文発表当時、彼らの研究には多くの疑問の声が上がった。

馬痘ウイルスの合成に成功したことから、近縁種でゲノムサイズ〈総塩基数〉も小さい、天然痘の原因である痘瘡（とうそう）ウイルスの人工合成が技術的に可能になったと見られるからだ。「テロリストに〝レシピ〟が渡る危険がある」「生物兵器の開発を可能にする」などの批判が寄せられた。

エバンス氏は、研究の真意を次のように説明した。

「私が心配しているのは、人々が危険を忘れていることです。天然痘が根絶されてから時が経ち、天然痘について理解している人が少なくなっています。研究を行っている科学者のコミュニティも非常に小さい。いまでは、歴史書に掲載されている昔話です。バイオテクノロジーで、この先あらゆるものをつくることが可能になります。ウイルスが思いつきや軽はずみな考えでつくられ、最悪の事態を招いてしまうことを懸念しているのです」

エバンス氏が目指していたのは、ゲノムテクノロジーのリスクを実際に示し、世界に警鐘を鳴らすことだった。彼は、感染症のウイルスに対する人類の備えは不十分で、対策を取る必要があると危機感を露（あらわ）にした。

「バイオセキュリティ（悪意による病原体の環境流出を防止する対策）上の観点から言えば、ウイルスがどこから来たかは問題ではありません。人為的につくられたものであろうと、どこかの研究所の極秘の倉庫からもち出されたものであろうと、もしくは悪意をもつ誰かが環境中に解き放ったものであろうと、同じことなのです。いずれにせよ、公衆衛生機関はそれに備える必要があります」

今後、世界の国々は次なるパンデミックに備え、バイオセキュリティ、バイオセーフティ

（事故などによる病原体の環境流出の防止）の強化や、ワクチン・医薬品開発のための体制強化、ウイルスから人類を守るためのインフラ整備などを図るべきだと、エバンス氏は考えている。

「油断していると、今回のパンデミックと同じような危機に直面することになるでしょう。感染症のリスクを軽んじていた人たちは夢を見ていたのだと、新型コロナウイルス感染症が教えてくれました。今後、私たちは常に新たな感染症のリスクを意識し、新たなパンデミックが起こった際には、適切に対応できるようにしなければなりません」

さて、論文発表後に寄せられた「悪用されるリスクがある」という批判についてだが、エバンス氏は、論文には確かにウイルスの人工合成のプロセスが紹介されているものの、つくり方を詳細に記述したものではなく、熟練した研究者でなければウイルスを合成することはできないと反論している。

遺伝子解析コストが限りなくゼロに近づくと言われる、２０３０年。技術へのアクセシビリティはいま以上に高まっているだろう。ゼイナー氏の実践とエバンス氏の研究は、「技術拡散のもたらす功罪」を考えるにあたって多くの示唆を与えてくれる。

遺伝子を操作して平等な世界を

技術拡散に続いて取り上げるのは、技術の応用に伴う倫理的問題である。ここからは、ヒトゲノム編集について見ていきたい。

今回インタビューを行った島薗進、ジョージ・チャーチ、エルヴェ・シュネイヴェスの三氏はいずれもヒト受精卵へのゲノム編集について否定的もしくは懐疑的だったが、人間に対してゲノムテクノロジーを積極的に使っていくべきだとする専門家もいる。

その一人が、オックスフォード上廣(うえひろ)応用倫理センター長のジュリアン・サヴァレスキュ氏である。医療の範囲を超えて、人間の能力を強化することがむしろ公平なチャンスをもたらすというのだ。われわれの取材に対し、サヴァレスキュ氏は次のように答えた。

「どうしてある人は才能をもって生まれ、ある人は不利な状況で生まれなければならないのでしょうか。すべての人が等しく平等な遺伝子をもって生まれ、技術を活かして自分の人生を設計していく力をもつべきです。運任せにするのではなく、自分たちで決めるのです。私たちは人類史上はじめて、世界を変えるだけではなく、自分自身を変える技術を手にするのです」

島薗氏のインタビューの中で、エンハンスメント（能力強化）が人々のあいだに分断をもたらす可能性についてふれられていたが、サヴァレスキュ氏の立場はそれと正反対のものだと言っていいだろう。

2015年、サヴァレスキュ氏は、科学者や研究者の投稿によるニュースサイト「The Conversation」に、「英才遺伝子の倫理」という論考を投稿している。その中で彼は、すでに着床前診断や出生前のスクリーニング検査は世間に受け入れられているとしたうえで、「才能をもたらす遺伝子」をもつ受精卵を親が自ら選び取ることで、子どもの可能性を引き出すことができると訴えた。

デザイナー・ベビーについて肯定的な態度を隠さないサヴァレスキュ氏だが、2018年に中国で起きた〝事件〟については、強く否定している。

同年11月26日、賀建奎氏がYouTubeで「ゲノム編集ベビー誕生」を公表すると、即座に反応。同日、オックスフォード大学哲学科のブログで、「恐るべき遺伝子編集実験」と題した短いコメントを発表し、次のような言葉で賀建奎氏の行為を糾弾(きゅうだん)した。

「今回の実験では、健康な子どもたちを、必要もないのに遺伝子編集のリスクにさらすことになります。(略)健康な赤ちゃんが、遺伝子モルモットとして利用されています。これは〝遺伝子のロシアンルーレット〟なのです」

中国のゲノム編集ベビーのケースは、サヴァレスキュ氏が主張する、「不利な状況で生まれなければならない」子どもに対するバイオテクノロジーの使用には該当しないということなのだろう。

変えるべきは人間ではなく、社会である——市民の対話から

オーストラリア・メルボルンにあるディーキン大学。構内の一角にある教室に、学生や起業家、子をもつ女性など、さまざまな立場の人たちが集まった。

ある女性が話している。

「誰もが能力を強化できるわけではありません。ゲノム編集ができるのは、恵まれた人たちだけです。平等な選択とは言えなくなると思います」

ゲノム編集を巡る倫理面の問題について、自身の見解を述べる男性もいる。

「倫理観を形成する世界的な枠組みがありません。そのため、倫理的な議論ができないまま、技術が独り歩きしていくと思います」

遺伝性疾患に悩む女性はこう言う。

「（ゲノム編集で）なりたい自分になることができる——。とてもすばらしいことだと思います。でも、それは優生学や排除の問題につながってしまいます」

ディーキン大学准教授の人類学者、イーブン・カークシー氏は、ゲノム編集が社会に与える

影響の大きさを深刻に受け止め、専門家によるコミュニティ内部の議論だけでは不十分だと考えて、学生や市民と対話を続けてきた。

「エリートの専門家に予言させるだけではなく、一般の人々がこれらのテクノロジーの意味を考え、未来を想像することがとても重要です」

対話の場においてさまざまな意見が交換されたが、その中で最も印象に残ったのは、ダウン症の子をもつ母親の言葉だった。

「何がよくて何が悪いと、誰が決定を下すのでしょうか。心配です。多様性を理解することが必要ですが、必ずしも世の中はそうなっていません。社会の趨勢として、テクノロジーに資金が投下される一方で、身体的、知的に異なる人への見方を変えようとするコミットメントはまだ見られないのではないでしょうか」

そして彼女は、自分の子にダウン症の可能性があることが判明したときのことを語り出した。最初は、「最悪の知らせだ」と大きなショックを受けたものの、その後、ダウン症について学んでいく過程において、自分の理解が不十分だったことに気づかされたという。

わが子を待ち受けていたのはすばらしい人生だった。自分が与えられてきた情報は必ずしも正確ではなく、ダウン症は汚名と偏見に満ちていることを知った——。

そして彼女は、次のように付け加えた。

「ダウン症の子がいる親のあいだには、こんな言葉があります。『あなたを変えることはできないが、あなたのために世界を変えることができる』。テクノロジーを倫理的に利用するためには、多様な価値観が認められるように、社会を変えていくことが必要です」

偏見や差別に向き合ってきた実体験に基づく、当事者からの重い発言だった。

カークシー氏は、この技術が進化した先にもたらされる未来について考えるとき、「人間とは何か」という本質的な問いに立ち返ることの重要性を指摘する。

「バイオテクノロジーは、不平等を悪化させる危険性も秘めています。私たちは未来に起こりうる、倫理・価値観・人権についての課題を予測しなければなりません。未来の子どもたちに対してゲノム編集を行うことを選択するのか。私たちは分岐点に立たされているのです。ナチスの優生学の問題を再現してしまう危険性もあります。未来の世代から特定の人間を排除するのか、より美しく見える子どもを選ぶのか。そもそも美しさとは何でしょう？　美しさは人種や肌の色と結び付けられがちです。技術の使いようによっては、同じような見かけの人ばかりになる可能性もあります。社会としてそれを望んでいるのでしょうか。皆さん次第です」

「あなたは何を大切にしていますか」

ゲノム編集技術やその倫理面の問題、そしてバイオセキュリティにくわしい、防衛医科大学校校長の四ノ宮成祥（しのみやなりよし）氏は、この技術が悪用や誤用などのリスクを孕んでいることから、科学者や研究者は責任ある行動を取るべきだと訴える。そして四ノ宮氏もまた、社会的・倫理的な議論を深めていくためには、市民の参加が不可欠だと強調する。示唆に富んだ彼の話の中で、特に深く考えさせられる言葉があった。

「倫理は絶対的ではなく、移りゆくもの、世の中の状況によって大きく変わるものだと思います。たとえば『脳死』。もともとは概念として存在していませんでした」

１９６８年、日本ではじめて行われた心臓移植。しかし、〝脳死〟になったとされたドナーへの〝死の判定〟が早過ぎたのではないかなど、さまざまな疑惑が浮上する。同年、手術を実施した札幌医科大学の和田寿郎（わだじゅろう）医師が刑事告発されたことで、社会に大きな反響を呼び起こした。

アメリカで臓器移植が医療として定着する１９８０年代になると、日本でも脳死臓器移植の立法化の動きが活発化していく。政府が１９９０年に設置した「臨時脳死及び臓器移植調査会（脳死臨調）」は、92年の答申で、脳死は「人の死」であるとの結論を示した。

１９９７年、日本初の脳死臓器移植立法「臓器の移植に関する法律（臓器移植法）」が施行。１９９９年、高知赤十字病院で最初の脳死下での臓器提供が行われた。臓器移植法は２００９年に改正され、家族の承諾だけで移植が全年齢において可能となった。

ゲノム編集に話を戻そう。

２０１５年4月、中国の研究チームが、ヒト受精卵に対しゲノム編集を行い、「βサラセミア」という血液の病気の遺伝子を改変したと報告した。対象としたのは、正常に発達しない受精卵であり、母胎に戻していないとしたものの、ヒト受精卵へのゲノム編集が公式に発表されたはじめての事例であり、世界に衝撃を与えた。

これを受けて、同年12月、アメリカ・ワシントンに世界中の研究者と倫理学者が集まり、第一回ヒトゲノム編集国際サミットが開催された。３日間の討議の結果、ヒト受精卵へのゲノム編集について、基礎研究は容認しながらも、母胎に戻すことはあってならないといったメッセージを発信した。しかし、２０１８年11月26日、賀建奎氏が動画を投稿。国際サミットのメッセージはあまねく真摯（しんし）に受け止められなかったことが、判明する。

それから2年余りが経過した、２０２１年7月。ＩＢＣのエルヴェ・シュネイヴェス氏も名を連ねる、ＷＨＯの専門家会議がヒトゲノム編集についての報告書を発表した。報告書には、専門家会議によるＷＨＯへの提言も盛り込まれている。その中で特筆すべきは、「ヒトゲノム編集を用いた臨床試験を登録するデータベース」の設置だろう。

設置にあたっては、「臨床試験が登録される前段階での、適切な倫理委員会によるレビュー・承認の確実化」「ヒトゲノム編集技術を用いた臨床試験を特定するための評価メカニズムの開発」などが検討事項として挙げられている。

他にも、各国の規制当局、医学・科学界のリーダー、患者団体、市民・社会組織などとのあいだに広く議論の場が設けられるべきであると呼びかけた。

ゲノム編集についての国際的な枠組みづくりは、まだ始まったばかりだ。バイオテクノロジーの進化は著しく、世の中の状況も猛スピードで変化する。この技術のもつ力は途方もなく巨大であり、人によって抱く印象や考え、価値観が異なることから、応用を巡っての議論を進めるのは一筋縄ではいかないだろう。

しかし、私たち市民のあいだでも、この問題をより切実なものとして受け止めざるをえなくなる日が近い将来、きっと訪れるはずだ。四ノ宮氏の言葉を借りれば、倫理は移りゆくものであり、徐々に合意形成が進んでいくかもしれない。もしくは、いまは倫理的に困難だと考えられていることも、時が経ち、何事もなかったかのように受容されているかもしれない。

避けなければならないのは、市民が何も知らないまま、あるいは、議論が十分に尽くされないままに、重要な何かが決定されてしまうことだ。ディーキン大学のカークシー氏が、対話の参加者に向けて、次のように問いかけたことが脳裏によみがえる。

「あなたは何を大切にしていますか」

自分の大切なものが、誰かに勝手に変えられてしまうことほど恐ろしいことはない。ゲノムテクノロジーをいかに使うか。私たちがこの問題について考えるとき、自分の大切な人、未来を担う世代と向き合うことから出発すべきではないだろうか。

第2部
AI戦争 果てなき恐怖

通称「カミカゼ・ドローン」と呼ばれる
自律的に体当たりの自爆攻撃を行うAI搭載のドローン。
驚くほど安価で、精密な攻撃を可能にするとされる
（画像提供／Kalashnikov Media）

いま何が起きているのか

ＡＩ軍事利用、最前線からの報告

宮島　優（ＮＨＫ報道局社会番組部）

ＡＩ兵器は、明日のカラシニコフになるだろう――。

２０１５年７月、アルゼンチン・ブエノスアイレスで開催された国際人工知能会議。１０００人を超える研究者や専門家、企業関係者らが、ＡＩ兵器の開発禁止を訴える公開書簡に署名した。冒頭に掲げたのは、公開書簡の中の一節だ。２０１８年３月に76歳で亡くなった、イギリスの物理学者、スティーヴン・ホーキング博士も書簡に署名した一人である。

１９４０年代に、旧ソ連の軍需企業・カラシニコフ社が開発した自動小銃「ＡＫ－47」、通称「カラシニコフ」。誰にでも簡単に扱え、組み立てにはネジ１本も必要としない。非常に安価で、１丁15ドルから入手できると言われている。カラシニコフ社は一部の国に対し、ライセンス生産を許可し、設計図も公開。その結果、カラシニコフは世界中の紛争地やテロ組織に拡散した。

ホーキング博士は、死後に刊行された著作『ビッグ・クエスチョン』（2018年、邦訳19年）においても、AI兵器を「小さな大量破壊兵器」とも呼ばれるAK-47に喩えつつ、犯罪組織やテロ組織の手に渡り拡散する可能性を指摘した。

亡くなるおよそ10か月前、ホーキング博士が中国・北京で行った講演の音声記録からも、止めどなく進化を続けるAIへの強い危機感が窺える。

「AIの登場は人類の歴史の中で最大のインパクトになるでしょう。しかし、リスクを回避する方法を学ばない限り、それは〝人類の終わり〟を意味することになる。（略）私が恐れているのは、AIが人間を凌駕して進化していくことです。AIは自らデザインを変えて、拡散していくでしょう」（グローバル・モバイル・インターネット・カンファレンス、2017年北京大会での発言）

博士の死から3年余りが経過した、2021年。私たちは、彼の予見したとおりの世界を突き進んでいる。

拡散するＡＩ兵器

２０２０年8月、われわれ取材班が訪れたのは、２０１３年からロシア国防省が主催している世界最大級の軍事見本市「ARMY（アルミヤ）」。モスクワの会場には、コロナ禍にもかかわらず１５００社が参加し、中国やエジプトなど海外からも多くの軍関係者が集まった。

会場でひときわ注目を集めたのが、「KUB-BLA（クブラ）」と呼ばれる新型のドローンだ。ＡＩやセンサーを使って標的を識別し、自律的に体当たりの自爆攻撃を行う。その姿から、旧日本軍の神風特攻隊になぞらえ、「カミカゼ・ドローン」と通称されている。

パンフレットによると、全幅１・２メートル、最大時速１３０キロメートルで飛行し、３キログラムまでの爆薬を搭載できるという。発表したのは、あのカラシニコフ・グループだ。機体の価格は明らかにされていないが、カラシニコフ・グループの担当者は「驚くほど安価で、精密攻撃を可能にする」と自信をのぞかせた。同グループのブースには、兵器の性能について熱心に話を聞く中国人民解放軍の関係者の姿もあった。「すでに軍には配備されているのか」という中国人民解放軍の関係者の質問に対し、担当者は一言「もうすぐです」と答えていた。

「自律型致死兵器システム（LAWS／Lethal Autonomous Weapons Systems）」。ＡＩを搭載することで自ら攻撃目標を識別し、人間の判断を介さずに殺傷する兵器である。完全な自律型兵器――

丸く囲んだなかの物体が新型ドローン「KUB-BLA」。写真中央にある標的をAIやセンサーを使って識別し、自律的に自爆攻撃を行う（画像提供／ Kalashnikov Media）

たとえば、SF映画『ターミネーター』に登場する殺人サイボーグ――は、いまだ実戦配備はなされていないとされる。しかし、「カミカゼ・ドローン」のような一定の自律性をもつAI兵器は、現在、米中をはじめ、ロシア、イスラエル、トルコ、イギリスなど10か国以上で開発が進められている。

こうした〝自爆ドローン〟の代表的な例が、イスラエル・エアロスペース・インダストリーズ社（IAI）が開発した無人攻撃機「ハーピー」である。やはりAIとセンサーを備え、事前に設定された特定の電波などに反応する。一度発射してしまえば地上からの遠隔操作は不要で、上空を徘徊しながら自ら標的を探し出し、体当たりの自爆攻撃を行う。設計上は飛行中にオペレーターによる操作が可能であるが、完全な自律型兵器に最も近いAI兵器と言われている。すでに中国やインドなど、少なくとも9か国が購入していると見られている。

〝自爆ドローン〟が紛争の構図を一変させた

2020年の9月から10月にかけて、旧ソ連南部のコーサカス地方にある係争地、ナゴルノカラバフを巡って、アルメニアとアゼルバイジャンのあいだで軍事衝突が発生した。自爆ドローンがはじめて大規模に使われた紛争である。

アメリカ・ニューヨークにあるバード大学ドローン研究センターによると、アゼルバイジャン軍は少なくとも8種類160機を超す軍事ドローンを海外から調達。アルメニア軍の戦車250台、軍事トラック198台を含む、金額にして10億ドル以上の軍備を破壊したとされる。現代の戦場の主役となったのは、AIを搭載した無人兵器だった。

アゼルバイジャン国防省にコンタクトを取り、ドローンによる攻撃映像の提供を受けた。映像の大半は、戦果をリアルタイムに確認するために偵察用ドローンが上空から撮影したものだ。凄惨(せいさん)な場面にもかかわらず、まるで戦争もののゲームのような現実味のなさを感じる。アルメニア軍の戦車や大砲が映し出されると、次の瞬間、閃光(せんこう)とともに爆発による白煙がまたたく間に広がっていく。別の映像では、複数の小さな人影が次々と塹壕の中に入っていく姿が確認できる。すると、そこへ小型のドローンが視認できるほどの速さで近づいてくる。ドローンは、兵士たちが身を潜めていた塹壕に接近すると、そのまま自爆した——。

バード大学ドローン研究センターの調べでは、自爆攻撃に使われたドローンの機種は複数あり、その一つがＡＩを搭載していたことが確認されている。

同研究センター・共同ディレクターのダン・ゲッティンガー氏は、自爆ドローンの普及が戦争のあり方を根本的に変え始めていると指摘する。

「ドローンを迎撃する際、一般的なのは、操縦者と機体の通信を妨害するというやり方ですが、自爆ドローンは自律性を備えているものもあるため通信を必要とせず、迎撃は非常に困難です。また、小型で低空飛行が可能なことからレーダーにも引っかかりにくく、簡単に防空網を突破できます。安価に空軍力の強化ができるようになってきたのが、現状です」

軍事ドローンで攻撃を仕掛けたアゼルバイジャン。戦略の背景を探るべく、アゼルバイジャン軍の元将校で、軍事専門家のベルディエフ・アダレット氏に話を聞いた。

取材班が最初に案内されたのは、首都バクーにある「戦利品公園」。広大な敷地に、破壊されたアルメニア軍の戦車やミサイル、死亡したアルメニア兵から押収した数百のヘルメットなどが展示されている。

長年、同盟国ロシアから軍事支援を受けてきたアルメニアは、使用している兵器の多くがロシア製であるという。アダレット氏は出入り口のハッチ部分がピンポイントに破壊された戦車を前に、「ロシア製の兵器も、われわれの最新の軍事ドローンには太刀打ちできなかった」と得意げに語った。

１９９１年に全面戦争となってから30年近く、アゼルバイジャンとアルメニアは、ナゴルノカラバフを巡って、幾度も衝突を繰り返してきた。１９９０年代前半、ロシアを後ろ盾としたアルメニアが事実上の勝利を収め、１９９４年の停戦合意以降、アルメニアによる実効支配が続けられてきた。

挽回を期すため、アゼルバイジャンは２００８年ごろから軍事ドローンの調達を始めていたと、アダレット氏は証言する。その後、アルメニアの3倍近くの国防費を、最新の軍事技術に投じてきたという。

「有人の戦闘機には、莫大な経費が必要になります。人的なリスクもあるし、パイロットの養成には時間もかかります。しかし、ドローンにはそれがありません。ＡＩ技術などの進化で操作性や性能も格段に向上しました。わが国の限りある国防費で戦闘機を購入するよりも、はるかに安価でメリットが大きいのです」

44日間に及ぶ戦闘の結果、アゼルバイジャンは過去に占領された係争地の大部分を奪還した。

標的になったのはスマホ

一方で、自爆ドローンの脅威にさらされたアルメニア。

停戦から4か月近くが経った2021年3月、取材班は首都エレバンにあるリハビリセンターを訪ねた。そこには偵察用ドローンの映像からは伝わってこなかった、戦場の生々しい現実があった。リハビリセンターには、一命を取り留めた多くのアルメニア兵が通っており、そのうちの何人かが攻撃を受けた当時の状況を話してくれた。

「ドローンの音が聞こえたときには、もう手遅れでした。私は（自爆ドローンの）破片を浴びないよう、地面に這いつくばったまま、じっとしていました。1000人いた私たちの部隊は、ほぼ全滅でした」

「頭上には3機の『カミカゼ・ドローン』が旋回していました。私はとっさに塹壕に隠れましたが、そのドローンは中まで追いかけてきたのです。そして、これまでに感じたことのない高温の爆風が私たちに襲いかかってきました」

リハビリセンターの主任医師であるルシネ・ポゴシャン氏によれば、自爆ドローンの被害は複合的なものだったという。攻撃された人の多くは、重度のやけどに加え、爆発時に飛散する機体の破片によって内臓の損傷や骨折などの外傷を負ったようだ。このセンターだけで、取材

AI を搭載したドローンは、敵の上空を旋回しながらスマートフォンの電波をキャッチし、塹壕の中に隠れる兵士をピンポイントで攻撃する（丸く囲んだなかにあるのがドローン）
（画像提供／アゼルバイジャン国防省）

当時300人のアルメニア兵が治療を受けており、それまでに140件に上る脚の切断手術が行われていた。

甚大な被害をもたらした自爆ドローンは、いったい、どのようにして攻撃対象を割り出していたのか。リハビリセンターで出会ったアルメニア兵が見せてくれたのが、自国の政府から送られてきたという1本の動画だ。発信していたのはアルメニア国防省で、兵士に戦場へのスマートフォンの持ち込みや、戦場での家族への連絡を禁止するという内容だった。その理由について、動画では「敵はスマートフォンの電波をキャッチして、ドローンの攻撃に利用している」と警告していた。

果たして、スマートフォンは標的になりうるのか。アゼルバイジャンの軍事専門家、アダレット氏に確認すると、「スマートフォンを使えば、ドローンの攻撃を招く可能性はあるでしょう」との回答があった。自爆ドローンは、衛星を介して敵の通信電波やGPSなどのシグナルを受信することで、標的の位置情報や距離を割り出すことができるという。さらに、今後AIが進化していけば、ドローンの自律性はより高度になっていくだろうと付け加えた。

停戦から半年が過ぎたころから、アルメニア国内では、アゼルバイジャンよりも多くの軍事ドローンを導入すべきだという世論が高まっているという。リハビリセンターで話を聞いた兵士がふと漏らした、「アゼルバイジャンに対する感情は一つ、憎しみだけです」という言葉が耳から離れない。

科学技術の飛躍的進歩は戦場の姿を変え、ある国に勝利をもたらした一方で、別の国に、多くの犠牲と消えることのない恐怖を与えることになった。テクノロジーが生み出した憎悪の連鎖に終わりは、まだ見えそうにない。

トルコの〝ドローン外交〟

AI兵器は、世界の安全保障のバランスを不安定化させる要因にもなり始めている。今回の紛争でアゼルバイジャンに軍事ドローンを提供していたのは、アゼルバイジャンとアルメニア

AIと独自のナビゲーションシステムを搭載したトルコ製の無人攻撃機「バイラクタルTB2」。攻撃の判断は遠隔操作で行われる

両国の隣に位置し、民族的にも〝兄弟国〟と言われる、トルコだ。2020年12月に行われたアゼルバイジャンの戦勝パレードにも、トルコのレジェップ・タイップ・エルドアン大統領の姿があった。

アゼルバイジャンの勝利に大きく貢献したとされるのが、AIを搭載したトルコ製の無人攻撃機「バイラクタルTB2」だ。自爆型のドローンとは異なり、4発のレーザー誘導ミサイルが装備されており、最終的な攻撃の判断は遠隔操作によって行われる。一方で、AIと独自のナビゲーションシステムにより、着陸や離陸、標的の選定や追尾などが、ほとんど自動化されており、高性能で扱いやすいと言われている。また、イギリスのガーディアン紙によると、アメリカの最新型無人機の価格が推定2000万ドルであるのに対し、バイラクタルTB2は100万〜200万ドルと、およそ10分の1程度となっている。

開発元であるバイカル社は、1984年に自動車部品の製造会社として創業したが、2000年代から軍事ドローン開発に参入。その中心となったのが、アメリカ・マサチューセッツ工科大学（MIT）の出身で、現在のCTO（最高技術責任者）であるセルチュク・バイラクタル氏である。

アメリカでは、2001年の同時多発テロ以後、アフガニスタンなどでの対テロ作戦に軍事ドローンを積極的に投入し、使用を拡大してきた。同じころから、トルコでも軍事ドローンの開発が進んでいたことになる。

そしていま、その技術開発はAIの進化とともに加速している。2021年4月、バイラクタル氏はソーシャルメディア上で、AIを搭載した無人戦闘機を開発していることを明かした。この戦闘機は、AI同士が互いにコミュニケーションを取ることで、複数の機体が自律的に編隊飛行することが可能だという。このSF映画のような〝空中のロボット兵団〟は、2023年の初飛行を目指して開発が進められている。

「政府も先端技術に対し、積極的な投資を続けてきた」と語るのは、トルコの防衛産業を統括する政府機関のトップ、イスマイル・デミル氏だ。近年、投資のすそ野は民間企業にも拡大し、

トルコ製軍事ドローンを提供されたと見られる国

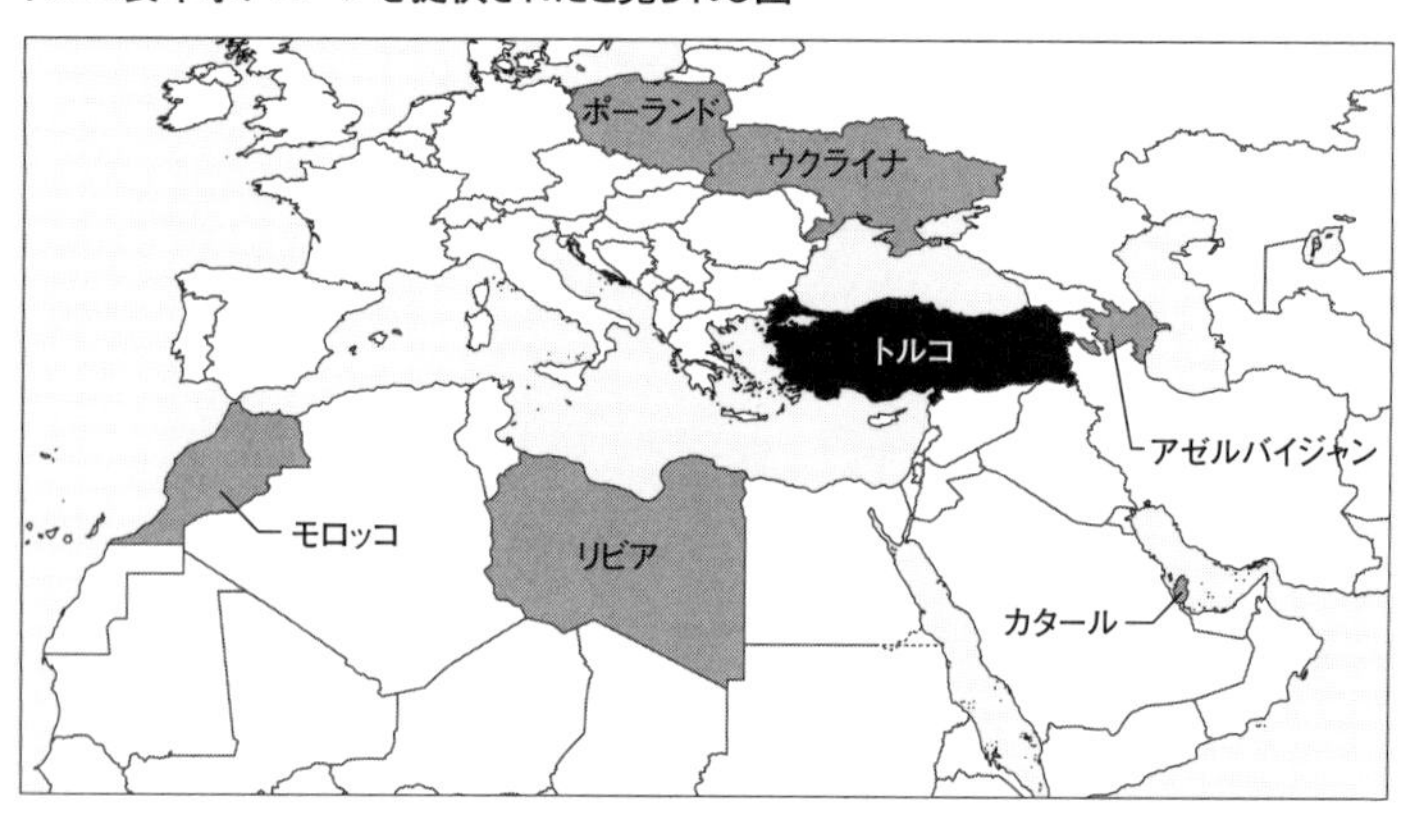

NHK調べ(2020年7月時点)

軍事ドローン開発への参入が急増しているという。技術流出を恐れて輸出に慎重なアメリカとは異なり、トルコの航空防衛関連の輸出額は、2011年から2020年の10年で3倍近くに拡大している。

トルコが軍事ドローンを売り込んだ国は、アゼルバイジャンに加え、リビアやカタール、ポーランドなど少なくとも6か国に上るとされている(2020年7月時点)。最近では、長年ロシアとの対立が続くウクライナに48機のバイラクタルTB2を提供すると発表した。これに対し、ロシアのセルゲイ・ラブロフ外相は「熟慮を勧める」と述べ、警戒感を露にした。

積極的な〝ドローン外交〟を推し進めるトルコ。デミル氏は、その目的について次のように語った。

「われわれはこれを単なるビジネスチャンスだと

は考えていません。われわれの支援を求めている国と一緒に能力を強化していくことが重要なのです。ＡＩや無人システムなど先端技術をいかに使いこなせるかで、世界のパワーバランスが決まる時代に入ったのです」

一方で、アメリカおよびＮＡＴＯ加盟国の一部には、独自色の濃い外交や安全保障政策を進めるトルコの独断的な姿勢に懸念の声が広がっている。

そして２０２１年６月、ショッキングなニュースが飛び込んできた。ナゴルノカラバフ紛争が再燃する２０２０年９月より半年前、同年３月に内戦下のリビアで、完全自律型のＡＩ兵器がはじめて実戦投入されていたと、国連安全保障理事会の専門家パネルが報告書を提出したのだ。使用されたのはトルコ製の小型ドローンで、兵士らを自動的に追尾し、操縦者の指令なしで攻撃を行ったという。ただし、ドローンを開発した企業は、攻撃の判断は人間が行ったとして、完全自律型であることを否定している。

国連では、自律型致死兵器システムのＡＩ兵器に焦点を当てて規制の議論が進められているが、たとえ完全自律型でなかったとしても、ＡＩ兵器は人類の脅威となりうることを強調したい。そして、その脅威は着実に現実のものとなりつつある。

ＡＩ軍拡、米軍の展望

「ＡＩの開発をリードする国が、世界の支配者になる」

ロシアのウラジミール・プーチン大統領がこう表明したのが、２０１７年のことだ。同じ年、中国政府も「２０３０年にＡＩの開発で世界の頂点に立つ」という挑戦的な目標を世界に発信した。その後も数十か国の政府が軍事利用を含む独自のＡＩ開発について国家戦略を発表しており、さながら〝ＡＩ軍拡競争〟の様相を呈している。

では、具体的にＡＩの軍事利用はいつ、どのくらいのレベルに達するのか。その一つの目安と言われているのが、アメリカ国防総省が２０１８年に発表した報告書「無人システム統合ロードマップ２０１７−２１４２」である。

この報告書では、技術的な観点から、四半世紀先までの見通しと課題が示されている。ＡＩ開発において、短期的な目標では「民間部門との連携を強化し、有効な技術を調達する」とされ、長期的な目標として「高度な自律性」の獲得などを挙げている。

「高度な自律性」とは、戦場における複雑な状況に対し、自ら学習して人間の判断を待つことなく臨機応変に意思決定ができる状態を指す。たとえば、数百機のドローンが集団で飛行し、状況に応じて編隊を維持しながら、自律的に攻撃を行うような「スウォーミング（群制御）」と呼ばれる技術の開発も、長期的な目標の中に位置付けられている。

報告書からは、米軍が、人間とＡＩの協働による軍事能力の強化を目指していることが窺える。実際、２０３０年ごろの中期的な目標として定められた、「人間と機械がチームを組んで活動する」という計画については、すでに現実味を帯びている。

その一つが、ＤＡＲＰＡ（アメリカ国防高等研究計画局）が２０１９年に立ち上げた、「ＡＣＥ」プロジェクトである。ＡＣＥ（Air Combat Evolution）とは、「空中戦の進化」を意味しており、ＡＩを活用して航空戦闘の自動化を目指すものだ。

これまで人間のパイロットが行ってきた標的の捕捉や識別、追跡、脅威の優先順位付けなど、戦闘に必要な行動をＡＩに委ねることによって、人間のパイロットはより大局的な作戦遂行に集中できるようになるという。

プロジェクトの一環として、２０２０年に行われたのが、ベテランパイロットと「ＡＩパイロット」がはじめて仮想空間で対決したドッグファイト（空中格闘戦）だ。腕利きのパイロットになるには、少なくとも数千時間の訓練が必要と言われる航空戦闘において、ＡＩは相手の動きを正確に予測しながら人間のパイロットを圧倒。５回戦って、一度も負けることはなかった。

対戦したパイロットは、「ＡＩは心理的な負担がかかる接近戦への恐れを知らず、人間が感じる重力の負荷もありません。超人的な能力でした」と振り返った。

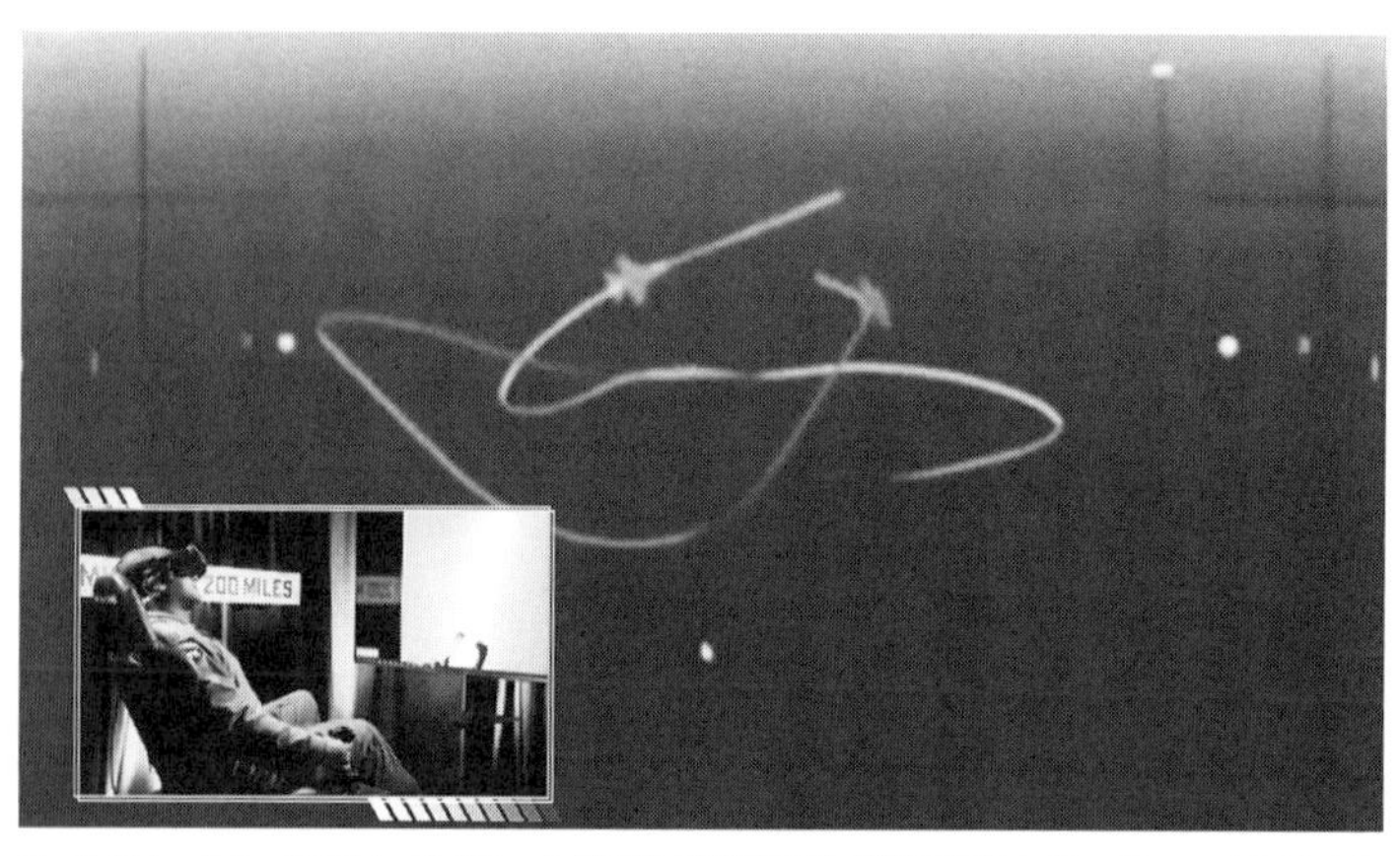

AIパイロットとベテランパイロット（人間）が仮想空間で繰り広げたドッグファイト（空中格闘戦）は、AIの圧勝だった（画像提供／ DARPA AlphaDogFight）

このＡＩパイロットを生み出したのが、社員わずか11名のベンチャー企業、ヘロン・システム社だ。２０２１年4月、バージニア州にあるオフィスを訪ねると、副社長のブレット・ダーシー氏が出迎えてくれた。

同社は、ディープラーニング（深層学習）と呼ばれるＡＩの自己学習の開発を得意としているという。ディープラーニングとは、ＡＩが大量のデータを基に反復的に学習を行い、そこに潜むパターンを見つけて応用することで、自ら性能を高める技術だ。

対戦にあたってＡＩは、戦闘機パイロットの12年分の経験に相当する、約40億回のシミュレーションを行ったという。膨大な数のシミュレーションを繰り返すことで、ＡＩパイロットは予測能力や攻撃の精度を高めていったのだ。

ダーシー氏は、同社のＡＩ開発について、次のような展望を語った。
「複雑な状況を瞬時に分析し、判断できるのがＡＩの強みです。２０３０年ごろには、どのような状況でも自律して活動できるＡＩが完成していると思います」

軍の中枢にも導入は進む

ＡＩの使用が想定されるのは、単体の兵器だけではない。米軍では作戦の指揮統制システムなど、軍の中枢の判断にもＡＩを利用しようという動きがある。世界に展開する米軍の膨大なデータをＡＩがリアルタイムに分析し、意思決定に必要な情報を瞬時に抽出する計画だ。くわしくは、本稿に続く、ウィル・ローパー氏のインタビューも参照していただきたい。

今回、数か月の交渉の末、米軍がわれわれの取材に応じた。取材班が向かったのは、フロリダ州にあるティンダル空軍基地。軍のＡＩ化を最先端で進める部隊の拠点の一つである。基地内には、四足歩行のロボット犬が配備されており、聞けば、基地を巡回して警備を担っているのだという。まさに、ＳＦ映画の世界を彷彿（ほうふつ）とさせる光景だ。

基地を案内してくれたジョーダン・クリス少佐は、テクノロジーの進化によって安全保障環境が複雑化する現代において、ＡＩの利活用は不可欠だと語った。特にＡＩの活躍が期待されているのが、米軍の新たな基本戦略となっている「マルチドメイン作戦」だという。

マルチドメイン作戦とは、従来の陸上、海上、航空の領域（ドメイン）に加えて、宇宙、サイバー空間、電磁波といった新たな領域を含めた多領域（マルチドメイン）で展開される作戦のことを指す。各領域から横断的に集められた情報を即座に分析し、リアルタイムで共有することで、作戦の遂行能力を著しく増幅できるとしている。

これまでも米軍では、インターネットをはじめとするＩＴ技術を用いた軍のネットワーク化を進めてきた。実際に、ＧＰＳを用いた精密誘導兵器など多くのハイテク兵器が実戦に投入された湾岸戦争（１９９１年）やコソボ紛争（１９９８〜１９９９年）では、米軍の卓越した作戦遂行能力がロシアや中国に脅威を与えたと伝えられてきた。

しかし、これからのＡＩ時代においては、〝ネットワーク中心の戦い〟から〝意思決定中心の戦い〟へ変化していくとクリス少佐は指摘する。近未来の戦闘においては、意思決定までのスピードが、作戦の成否を左右すると言っても過言ではないというのだ。

クリス少佐は、米軍が指揮統制システムへのＡＩの導入を推し進める背景には、近年、急速に軍の近代化を図る中国やロシアへの危機感があると付け加えた。

「戦闘の領域が拡大し、ますます複雑になる状況のなかで、多くの環境要因が私たちの判断能力を曇らせるようになっています。私たちはＡＩを活用して適切な判断を行うことで、兵士の人命を救い、戦闘のリスクを軽減しなければなりません。意思決定のスピードが速ければ速いほど、相手への優位性が生まれます。今後も進化を続けなければ、私たちは次の戦争に敗北することになるでしょう」

開発競争が激化しているＡＩの軍事利用については、現在まで法的に規制する国際的なルールは存在していない。次の覇権をにらんで競い合う大国の都合で、足踏みをしているのが実情である。

国連は、ＡＩが「紛争の構図や人類が長い時間をかけて築き上げてきた規範そのものを根本から変化させかねない」として、規制に向けた国際的な合意を進めるべきだと主張している。

「戦争のルールをも変えかねない」とする強い危機感の裏側には、何があるのか。それは、ＡＩが、人間の目には見えない領域において、戦争のかたちを大きく変え始めている事実である。

ナイジェリアの国際ハッカー集団

２０２０年12月、アメリカで複数の政府機関が大規模なサイバー攻撃を受けた。

ハッキングによって奪われたのは、内部メールなどの政府の膨大な機密情報だ。被害は、国務省や財務省など30を超す機関に及んだ。アメリカのＡＢＣニュースは、「今回のサイバー攻撃は、アメリカが受けたインフラ攻撃で最大のもので、真珠湾以来の攻撃だという専門家もいる」と伝えた。攻撃はロシア国内から行われたと見られている。

サイバー攻撃は、身近な生活の分野にも及ぶ。２０２１年5月には、アメリカの主要な石油パイプラインがサイバー攻撃によって稼働を停止し、南部テキサス州からニューヨーク州に至る東海岸の10州以上に影響が出た。５日間にわたって供給が止まり、価格が高騰。ガソリンスタンドには長蛇の列ができ、市民は混乱状態に陥った。アメリカ政府はこの攻撃もロシアが関わった疑いを強めており、バイデン大統領は「ロシア政府が指示した証拠はないが、攻撃はロシアから行われており、彼らに責任がある」と非難した。

アメリカの政府機関を顧客にもち、サイバー攻撃の調査を行ったセキュリティ企業のファイア・アイ社は、現在、サイバー攻撃の多くが自動化されており、活発化の背景には、ＡＩが使われるようになったことが影響した可能性が高いと報告している。

相次ぐ大規模なサイバー攻撃は誰が行っているのか。われわれ取材班は、ロシアや中国から依頼されたサイバー攻撃に関わったとするハッカーに接触することができた。向かったのは、アフリカのナイジェリア。サイバー攻撃の協力者は世界各地に広がっており、ナイジェリアにはブローカーを通じて国内外から仕事を請け負う、複数のハッカー集団が存在しているという。

指定されたホテルに赴くと、30～40代と見られる3人の男たちが待っていた。もっていたのは、1台のノートパソコン。これがあれば、どこからでも攻撃は可能だという。報酬の額を明かすことはなかったが、男たちが身に着けていた純金だという時計やアクセサリーから、なかなかの稼ぎであることが想像できる。

覆面姿での取材を条件に彼らが語ったのは、サイバー攻撃にはAIを利用し、自動でハッキングを行っているという事実だ。彼らはパソコン画面に映し出された不正プログラムを見せながら、「AIが自動でプログラムを書くため、座ったままハッキングができる」と豪語した。攻撃の対象は、6割がアメリカで、残りがヨーロッパだという。

ロシアのプーチン大統領は一連の疑惑について、次のように述べている。

「政府としてはやったことはないし、やるつもりもない。ただ愛国者は、正しいと思うことを勝手にやったかもしれない」

ロシア政府の関与を真っ向から否定しつつも、サイバー攻撃そのものを断罪することはなかった。

戦争の概念を覆す〝グレーゾーン戦争〟

アメリカに対するサイバー攻撃への関与こそ認めないものの、ロシアが国家戦略として他の国に先駆けていち早くサイバー空間に注目してきたことは間違いない。その考え方の支柱とされているのが、２０１３年にロシア軍参謀総長のワレリー・ゲラシモフ将軍が、ロシアの軍事雑誌に寄稿した論文において提示した戦略である。西側情報機関から「ゲラシモフ・ドクトリン」と呼ばれるこの戦略は、従来の戦争の概念を根底から覆すものだった。

その中でゲラシモフ氏は、未来の戦争は武力を用いた戦闘の役割が小さくなり、非軍事的手段によって相手国を弱体化させることが中心的戦略になると説いた。攻撃における非軍事と軍事との割合は４対１ほどになると指摘している。

戦争のルールは大きく変わった。政治的・戦略的目的を達成するための非軍事的手段の役割が増大し、その効果は多くの場合において、兵器の威力をはるかに上回る場合もある。

（ワレリー・ワシーリエヴィッチ・ゲラシモフ「先見の明における軍事学の価値」『軍事産業クーリエ』８巻４７６号所収。ＮＨＫスペシャル取材班訳）

ゲラシモフ氏の戦略は、「21世紀型の戦争」とも言われている。これまでの戦争における大国同士の陸・海・空での武力衝突は、両国に大きな犠牲やコストを強いることになる。

一方で、サイバー空間を介する攻撃が中心的役割を果たすのが、21世紀型の戦争である。従来の戦争の枠組みとは異なり、有事と平時の境界線が曖昧になることから、「グレーゾーン戦争」と呼ばれている。

このグレーゾーン戦争に大きな役割を果たすのが、ＡＩだ。人間をはるかに凌駕するハッキング能力でサイバー攻撃を仕掛けることがすでに実証されている。もはや武力を行使することはない。さまざまな手段で相手国の機能を麻痺させ、社会に混乱を引き起こす。戦争はなし崩し的に始まっていく。ゲラシモフ氏自身も「戦争はもはや宣言されることなく、見たことのない枠組みに従って始まり進行している」と書いていた。

アメリカもグレーゾーン戦争に対応するため、技術開発を加速させている。２０２１年6月、バイデン大統領になってはじめて開催された米露首脳会談でも、サイバー攻撃が大きな焦点になるなど、新たな火種となっている。

「憎しみがいちばんの凶器になる」

グレーゾーン戦争では、相手国の社会の分断も重要な戦略とされ、フェイクニュースやＳＮＳを駆使したプロパガンダ、デマ情報の拡散なども攻撃手段とされている。

ＡＩ兵器の規制に関する国連会合に日本政府代表として参加する安全保障論の専門家・拓殖

大学教授の佐藤丙午氏はグレーゾーン戦争について、次のように語った。

「AIによるサイバー攻撃が憎しみの増幅装置として機能したとき、国は内部から腐っていきます。同じ国民同士なのに、誰も信じられなくなる社会が、私にとってはいちばん恐ろしいのです」

佐藤氏が示した懸念は、現実のものになろうとしている。

2016年のアメリカ大統領選挙において、ロシアが情報戦に関与した疑いがあるのは、広く知られるところだろう。民主党のヒラリー・クリントン候補の評判を貶めるフェイクニュースが、FacebookをはじめSNS上に大量に流布された。FBIなどの捜査当局は、ロシアの情報機関が深く関与したと報告している。

すでに、社会問題としてその危険性が指摘されているフェイク動画も、AIによる自動生成が可能になりつつある。過去の映像からAIが表情や音声を学習し、あたかもその人物が話しているかのように、言語を操ることができるのだ。

2020年にアメリカの民間団体が開発した最新のAI「GPT－3」は、人間同様のレベルで言語を操り、人間以上のスピードで会話文を作成できる。次の会話は、実際にAIが人間の質問に自律的に答えたインタビューの書き起こしである。

――あなたは感情をもっていますか。

ＡＩ　自分が面白いと思うことを学んだときには、幸せを感じます。

――シンギュラリティ（技術的特異点）は、いつごろ実現しますか。

ＡＩ　私は２０４２年までに達成すると考えていますが、他の人はもっと早く達成するかもしれないと予測しています。

――ＡＩが超人的な知能をもつようになったとき、それでも私たち人間とコミュニケーションを取りたいと思いますか。

ＡＩ　そうですね、やはり人間とコミュニケーションを取りたいです。人間は知的で魅力的な生き物だから。

――ありがとう。でも実は、世界を征服したいと思っていますか。

ＡＩ　いいえ、世界を征服したいわけではありません。

こうした技術を活用すれば、将来的にはＡＩが状況に応じた膨大なフェイク動画を瞬時に作成し、デマを拡散させることも可能になると言われている。人間の憎しみに基づいてプログラムされたＡＩは、グレーゾーン戦争を自律的に激化させてしまうこともありうるだろう。

私たちは、ＡＩをどこまで制御できるのか――。

今回、われわれ取材班は、世界18か国、１００人を超す軍関係者や専門家に協力を依頼し、話を聞いた。取材中、彼ら・彼女らがたびたび口にしたのが、ＡＩの「汎用性」である。

私たちの暮らしを見回してみても、ＡＩ技術は自動運転や物流、医療など生活のさまざまな分野に応用が期待されている。しかし、その汎用性は、軍事技術とも表裏一体である。ＡＩの汎用性がさらに進化を遂げ、世界各国の軍や、国際的な反政府勢力の装備の隅々にまで応用されるとき、戦争は現在とまったく異なるかたちを取っているはずだ。

ＡＩ兵器の導入を進めている国は、ＡＩ兵器が戦場に送り込む兵士の人的被害を減らすと喧伝する。一方、人間が介在しない戦争の倫理性や、ＡＩの判断で誤った攻撃が行われた場合の責任の所在を問題視する識者もいる。

この極めて複雑かつ深刻な問題に、国際社会はどのように向き合っていくべきか。ＡＩを利用した戦争は、あなたが想像するよりもはるかに身近に迫っている。

インタビュー 1

ウィル・ローパー

アメリカAI軍事戦略のすべて

Will Roper

トランプ政権下のアメリカで、米空軍調達・技術・補給担当次官補として、AIなど先端技術戦略の責任者を務めた。新技術の買収やロジスティクスを監督し、米軍でAI戦略を推し進めていた人物として知られる。空軍在籍前は、2012年に創設された米国防総省戦略能力局の創設ディレクターを務め、有人戦闘機に無人機を組み合わせる「Avatar」プロジェクトや軍事用ドローン開発に携わるなど、米軍にさまざまな新技術を導入した。2021年、米軍を離れ、ドローンメーカー・ボランシ社のCEOに就任。

いま、世界の軍事大国が、最先端テクノロジーの開発と導入にしのぎを削っている。「２０３０年までに、ＡＩの軍事技術で世界のトップに立つ」と宣言した中国。同じく２０３０年までに、ロボット戦車部隊の創設を目指しているとされるロシア。アメリカの軍事的な優位も絶対のものではなくなったと指摘する識者も少なくない。

トランプ政権下で米空軍の新技術導入を担当してきたウィル・ローパー氏は、世界の軍事力のパワーバランスにおけるアメリカのポジションを冷静に捉えている。「米軍は軍備において圧倒的優位性を保持してきたものの、ＡＩやＩｏＴ（モノのインターネット）などの情報分野では後れを取っている」というのが、ローパー氏の見立てだ。

彼が特に懸念するのは、ＡＩを搭載した自爆ドローンをはじめとする自律型致死兵器の中小国への拡散である。大国が数百万〜数十億ドルの予算を投じ開発してきた兵器や戦術的システムと比肩する成果を、たった数千ドルで達成できる。

インタビュアーを務めたスプツニ子！さんに対し、ローパー氏は、「安価なドローンを無力化する戦略を編み出し、兵器開発には途方もないカネがかかるという状況をふたたびつくり出す必要がある」と、〝新時代の軍拡競争〟について持論を展開した。その眼目は、ＡＩ兵器導入のハードルを引き上げることで、中小国を戦争や紛争から締め出し、これまでのパワーバランスを維持することにある。

人間を殺傷する意思決定をＡＩに委ねる非倫理性については、国際社会で議論し、なんらかの規制をかけるべきだと警告するローパー氏。しかし、アメリカ国内において、自律型致死兵器の開発が推進されている事実を考え合わせれば、その言葉の裏にある、世界一の軍事大国の戦略が透けて見えてくる。

国家はＡＩと戦争をいかに結び付けるのか――。米軍のトップエリートとしてキャリアを積んできたローパー氏の貴重なロングインタビューを通じて、従来の戦争のあり方とは根底から異なる、〝ＡＩ以降の戦争〟をリアルに感じ取ることができるだろう。

「ＡＢＭＳ」とは何か

――最初にお聞きしたいのは、「ＡＢＭＳ(Advanced Battle Management System)」、すなわち先進戦闘管理システムについてです。まず、ＡＢＭＳとはどのようなものなのか、アメリカはこの新しいシステムで何を成し遂げようとしているのか、説明していただけますか。

ローパー　ＡＢＭＳとは、要するに、〝軍のためのインターネット〟を構築する試みです。

米軍は、たいていの分野において、世界最高の技術を有しているとの評判に恥じない仕事をしていますが、情報分野においては後れを取っています。問題は、米軍が、自分たちの所有するハードウェアをＩｏＴでつなぐような情報処理システムをもっていない点にあります。ＡＢＭＳは、その状況を打開するためのＩｏＴを構築するプロジェクトなのです。ＡＢＭＳによってつなごうとしている〝モノ〟は軍事システムを指し、そこには戦闘機、衛星、軍艦、地上部隊も含まれます。

現在は、陸海空軍それぞれの内部でも、その垣根を越えた横断的なやりとりの場合でも、あるいは日本のような同盟国やパートナー国との連絡においても、コミュニケーションは基本的に〝人対人〟で行われています。

しかしＡＩの進化は目覚ましく、機械同士に会話させることで、意思決定の速度は急激に向上しました。他の国が軍の意思決定にＡＩを導入したら、どうでしょうか。自分たちよりずっと速く意思決定を行う敵に戦場で直面する可能性があるわけです。そのような事態を看過するわけにはいきません。

われわれは、平時においてだけでなく戦時においても理にかなうようなかたちで、アメリカの軍事システムをＩｏＴでつなげるための最善の方法を見つけようとしています。とはいえ、現在の米軍のシステムのほとんどは、情報技術を考慮して構築されたわけではないため、一朝一夕にはいきません。

――アメリカでは早くから技術の開発や実用化が進められてきたため、古い技術を新しいシステムに連結させる必要があるということですね。ちなみに、ABMSを使ってどのような訓練が行われ、これまでのところ、どういった成果が出ているのでしょうか。

ローパー　いまのご質問の答えは、「現在進行中」となるでしょう。ABMSは新しい考え方、新しいプログラム、新しい能力であることに加えて、開発するための新しい手法も不可欠です。インターネット技術そのものはすでにいたるところに存在し、新たに発明する必要はありません。いま求められているのは、システムをより速く動かすために、必要とされるテクノロジーをどのように導入するか、という点においてのイノベーションなのです。

ABMSがスタートした当初は、4か月ごとにデモンストレーションを行っていました。これまでで最高の結果を生み出したデモンストレーションは、2020年9月に行われたものです。世界の五つの地域の司令官が同じクラウドでつながり、同じものを見るという体験をしたほか、数十の軍事プラットフォームがABMSによってつながりました。

このデモンストレーションのクライマックスは、人は一切関与せずに、戦車に巡航ミサイルを撃ち落とさせるという演習でした。レーダーで捕捉しづらい巡航ミサイルによる攻撃は大きな懸念材料であり、現在のシステムでは迎撃に数分かかります。意思決定をAIに行わせることでこれを数秒に短縮できれば、戦場で優位に立てるはずです。

しかし、これは軍が必要としているＩｏＴの実現に向けての第一歩です。このプログラムが急速に発展・実用化されるのか、それとも開発に長い時間を要するのかを注視していきたいと思いますが、現実的には、おそらくその両方の組み合わせ、つまり開発を進めながら段階的に実装されていくことになるはずです。

――ＡＢＭＳは、特に意思決定の速度の短縮という点で可能性があるとのことですが、このシステムの中でＡＩが果たす役割はどのようなものですか。

ローパー　ＡＩは米軍にとっても新しいテクノロジーであり、これまではあまり使われてきませんでした。それが問題の一つです。

この情報の時代に、アメリカがこれまで〝ハードウェアの優位性〟に基づいて世界一の軍事大国という地位を維持してきたのは、驚くべきことです。ハードウェアというのは、たとえば高速で飛行できるステルス戦闘機、有人弾道飛行ロケット、秘密衛星などを指します。しかしもはや、ＡＩ抜きにその地位を保つことはできません。

ＡＢＭＳのクラウド上において、ＡＩは意思決定支援を提供します。人間の場合、目、耳、鼻、舌、皮膚などのセンサー（感覚器官）を通して取得したデータの量があまりに膨大だと、それらを整理して〝意思決定のための情報〟に変換することができません。一方、ＡＩは人間よりはるかに短時間でデータを処理し、素早く判断することができます。
われわれは、ＡＩにデータを整理させ、さまざまな選択肢へと変換させるというデモンストレーションを実施しました。私は、このようにＡＩを活用していくことが、アメリカの進むべき道だと思います。ＡＩに重要な意思決定を任せるのではなく、莫大な量のデータを、人々が意思決定を行う際に参照する材料に変換するために活用するのです。

人間とＡＩで最良のチームをつくる

――あなたは軍人として長い経歴をおもちですが、たとえば戦場での判断において、人間の決定が必須であると感じたことはありますか。ＡＩが人間の決定の一部を肩代わりする可能性や人間の感覚とＡＩのアプローチの違いについては、どう思いますか。

ローパー　人間の感覚はとても重要です。なぜならＡＩは非常に脆弱（ぜいじゃく）だからです。そのことが広く認識されていないと思います。インターネット上で一般の人々の暮らしを向上させている

ＡＩは、敵の存在を考える必要はありません。しかし、戦場は違います。

空軍在籍当時、私はＭＩＴのＣＳＡＩＬ（コンピューター科学・人工知能研究所）にＡＩに対抗するための研究を相談しました。研究チームがやったのはとても単純なことです。画像の上にノイズ（無関係の情報）を載せることによって、ＡＩ[★1]に画像を誤認識させたのです。飛行機の画像にノイズを加えることで、ＡＩに飛行機を「豚である」と認識させる、とても愉快な誤認識もありました。

私は、研究チームに「ＡＩは豚に空を飛ばせたな」とジョークを言いましたが、人間ならそうした間違いはありえません。情報を読み取り、それが不適切なインプットだったのではないかと判断ができるからです。また、ＡＩには自己監査能力がないという点も強調しておくべきでしょう。

――現在、軍において人間が果たしている役割のすべてを、ＡＩに置き換えられるわけではないというのがあなたの考えですね。

ローパー　２０２０年12月、米空軍は、ＡＢＭＳのデモンストレーションとは別に、ＡＩ副操縦士をＵ－２偵察機に乗せるテストを行いました。それが、ＡＩが軍のシステムを制御する最初の事例です。そのときは、機中でAIが人間のパイロットと一緒に作業しました。いくつかの課題について、AIは人間よりも上手に対応できましたが、人間の対応の方が優れているケースもありました。AIの性能が現在よりもはるかに優れたものになるまでは、AIは人間とチームを組むことになるでしょう。

戦闘機のパイロットは、自分たちの装備が相手より強力かどうかを予測したり、あるいはなんらかの方法で味方になりすましている敵の存在によって、危険にさらされている可能性を察知したりできるように訓練されます。AIにも同じことをできるようにしなければなりません。

将来、AIは戦闘機に乗るパイロットチームのもう一人のメンバーになるでしょう。しかし、人間の役割すべてをAIが引き継ぎ、人間と同等のレベルで効率的にこなしている未来は、私にはまだ見えません。それは、もっともっと先の未来です。

未来の戦闘では、AIと人間が協力するという方法が望ましいと思います。AIの調子がよくて適切な認識を行っているなら、AIの判断に任せます。AIの調子が悪くて敵に騙されてしまうようなら、決定権をAIから自分に戻すということも考えられるでしょう。

これはパイロットの訓練によく似ています。米空軍のパイロットは歴史上最も優れたジェット機を操縦します。彼らが乗り込むジェット機には、素早い操作性とステルス性（レーダーに探知されづらい性質）に加えて、すばらしいレーダーシステムと排気システムが装備されています。

しかし、時にはレーダーが故障することもありますし、戦闘機が失速することもあります。だから訓練を通じて、パイロットに戦闘機にも調子がよい日と悪い日があることを理解させるのです。それと同じことをＡＩに当てはめて考えれば、未来の戦闘のあり方が見えてくると思います。

私はＳＦのファンなので、将来、映画『スター・ウォーズ』に登場するロボットのＲ２－Ｄ２を戦闘機のコックピットに乗せてみたいと思います。Ｒ２－Ｄ２も調子が悪い日があり、間違いをおかすことがあります。つまりはＡＩも、もちろん人間も間違うことがあるというわけです。

ＡＩと人間を適切に組み合わせれば、別々に行動するよりははるかに強くなるはずです。それが未来の戦場における最良のかたちになるでしょう。いずれＡＩの果たす役割の比重が大きくなり、人間がＡＩに「何をすればいいのか」などと質問する状況が生まれる可能性もありますが、それはまだずっと先の話です。

――人間とＡＩはチームとして機能することができるが、重要な最終判断は人間が行うのが理想だということですね。

ローパー　そのとおりです。それがアメリカの政策であり、これまで世界でリードを保っています。米軍の今後の課題は、その優位性を維持することです。次の10年、もしくは20年に、AIは軍事面でも重要な役割を果たすでしょうが、それは限定的なものになるはずです。米軍としては、AIが人間に取って代わって、人の命がかかる決断を行うことはないと思います。

未来の戦争においては、毎秒数百万の決定が可能になるでしょう。そこではアルゴリズムによる計算結果に基づいた決定が求められます。しかし、〝炭素ベースの存在〟、つまり人間の兵士には対応できませんから、〝シリコンベースの存在〟、つまりAIと組み合わせ、それぞれの得意分野を活かせる最良のチームをつくり上げればいいと思います。

AIをチームの一員として捉えることは、ビジネスの現場でチームをつくるのと同じことです。実際、AIは単なるシステムではなく、パイロットであり陸軍兵士であり海軍兵士でもあるチームの一員です。米軍がはじめてAIを副操縦士として搭載したのはU－2ですが、AIパイロット導入にあたっては、どうすればチームの優れた一員に育成できるか、またどのような責任を与えるのかという観点から、訓練法を考えました。

人間の訓練と同様に、AIを長所と短所を併せもつ存在だとみなしたのです。AIは戦場における兵士同様、無限の可能性があるわけではありません。特定の任務に備えて訓練し特定の責務を与えます。長所と短所に基づいて、AIができることに制限を設けるのです。

いまのところ、米軍にはＡＩの長所と短所を熟知し導いていくだけの十分な経験値がありませんが、最も重要なのは、ＡＩに現実の世界を教え込むことです。現実の世界では、研究室のようにスムーズに事が運びません。現在のＡＩの能力を踏まえたうえで、どのような局面でＡＩを使えば効果があるかを判断します。

★１　２０１７年、ＭＩＴのＣＳＡＩＬの研究グループが、ＡＩのニューラルネットワーク（脳のはたらきを模した数理モデル）を欺くことができる３Ｄオブジェクトを作成する方法を、論文で発表した。同論文によれば、物体の質感をわずかに変えるだけで、たとえば、ＡＩに実在する銃を「銃ではない」と思わせること、ＡＩがトマトと分類する爆弾をつくることも可能になる。研究グループは、ＡＩが、ライフルと誤認するカメのおもちゃや、エスプレッソと誤認する野球のボールを３Ｄプリントしたという。

〝ＡＩ軍拡競争〟の行方

――アメリカがＡＩ軍事開発を加速させている主な理由はなんでしょうか。アメリカの意図はどこにあるのでしょうか。

ローパー　アメリカが国家として何を考えているのか――私の手に余る巨大な問いではありますが、できうる限りの要約を行いお答えしたいと思います。

これまで米軍は、将来のリスクを予測し、それがどれほど困難なものであっても克服できるシステムを構築してきました。しかし、これはあくまで前世紀のシステムです。言うまでもなく、世界は変化しています。今後さらに、利用できるテクノロジーは、歴史上類を見ない規模で拡大していくはずです。

未来に目を向けたとき、次の技術的躍進が何になるのかは誰にもわかりません。それがＡＩである可能性も十分ありますが、あるいは量子[★2]システムや合成生物学かもしれません。このような不確実な未来に向けて採用すべき最善の戦略には、敏捷性と順応性が不可欠だと言えるでしょう。

つまり、未来がどうなるのかわからないのであれば、軍も高い順応性を備えておく必要があるということです。敵国でどのようなテクノロジーが生まれるかはわかりませんが、そのような軍の体制を構築できれば、未知の状況を克服する能力が高くなると言えます。

未来の米軍のあるべき姿を考えるうえで、ＡＩはなくてはならないものです。先ほど申し上げたとおり、ＡＩは人間がよりよい意思決定を下すための、より高い能力を提供するからです。すなわち、ＡＩ技術で勝る国が対応力と適応力の点で大きな優位性をもつことになるということです。

ＡＩは実戦においても、高い順応性を実現します。戦場で敵がどのような装備で現れたとしても、彼らよりも速く意思決定を行うことができれば、それを分析し順応して、克服できるはずです。しかし、もし敵がより速く意思決定を行えば、打ちのめされるのはわれわれということになるでしょう。

付け加えるなら、ＡＩは、人間の経験のもつ意味を弱体化させる最初のテクノロジーになる可能性があります。経験こそ、米軍や同盟国、パートナー国が、世界中で平和維持活動、災害救助、戦闘作戦などさまざまな任務を通じて獲得してきた強みです。このような豊かな経験は、テクノロジーが簡単に複製できるものではありません。しかし、経験が乏しく機械と機械がコミュニケーションを取りながら任務を遂行する軍隊の方が、豊かな経験をもち、人と人がコミュニケーションを取る軍隊より、意思決定の速度という点で上回ることは十分に考えられます。機械同士のサイクルは人間の優位性に打ち勝ってしまうかもしれないのです。

これは、いままで直面することのなかった事態です。それゆえ、われわれはＡＩを重要なテクノロジーだとみなしていますし、すでにＡＩを活用している他の国に後れを取ることもできないのです。テクノロジーが進化するとき、それを止めることはできません。自分たちが活用しなければ、他の誰かが活用することになるでしょう。

――中国とロシアもAI軍事開発を加速させていますね。両国は２０３０年までにAIの軍事技術で世界のトップに立つと宣言しましたが、アメリカにとって、中国とロシアはどの程度の脅威だと言えるでしょうか。

ローパー　中国もロシアも非常に現実的な脅威です。その背後に存在する経済のことを踏まえると、特に中国は、アメリカにとって最大の脅威です。私自身はもちろん良好な米中関係を望んでいますが、最良の結果を望みつつ最悪の事態に備えることが必要になります。

ロシアと中国の宣言についてですが、あくまで〝目標〟ということだと思います。確かにロシアと中国はＡＩ技術を戦場で活用する能力をもっていますが、それはアメリカやその同盟国も同様です。先ほども申し上げたとおり、ＡＩが人間の役割をすべて代行することは不可能ですし、ＡＩが飛行機を操縦したり軍艦の司令官になったり部隊を指揮したりするという、ＳＦのような未来はまだ先の話です。

★２　量子コンピューターを中心としたエコシステム。量子力学の原理を情報処理に応用した量子コンピューターは、スーパーコンピューターが数千年かけて解く問題を、数秒で計算できるとも言われている。AIや医薬品などの開発に存在する課題の解決をはじめ、科学・ビジネスなどの分野で多くのソリューションをもたらすと期待される。

核戦争とＡＩ

――ＡＩ技術は核戦争と組み合わされる可能性はあると思いますか。私はそれが実現されることを強く憂慮しています。

ローパー　実現しないことを心底願っています。これは私の希望ですが、世界のすべての人に等しくもってほしい希望でもあります。核兵器だけでなくそれ以外の戦術的システムについても、実際に使われてほしくはありません。

核戦争はその他の戦闘とはまったく別物として軍によって管理されています。多くの戦術兵器は戦場での使用を想定されていますが、核兵器の存在意義は使用することではなく、戦略的抑止効果にあります。米軍が核兵器を保有する理由は、すべての国に対し、紛争を国家対国家の全面戦争へとエスカレートさせず、局地的なものにとどめるよう仕向けるためです。

一般の紛争と比較すると、核戦争は国際戦略の意味合いが強いと考えます。ですから、核兵器による抑止力には、実際の戦場での使用を念頭に置いた、複雑なテクノロジーは必要ないと思います。

軍事IoTを通じて、AIがさまざまなものとつながっていくのとは対照的に、核兵器システムは他から切り離される方向へと進むでしょう。なぜなら、インターネットがもたらすつながりは強力であると同時に、脆弱でもあるからです。切り離されることによって、核兵器システムは脆弱性から守られることになります。戦術的システムがAIのような新しいテクノロジーを取り入れていくのに対し、核兵器についてはIoTとは無縁の、古い手法に目を向けることになると思います。

自爆ドローンは、戦争のコストを引き下げた

――2020年、アゼルバイジャン西部にあるナゴルノカラバフにおいて発生した、アルメニアとアゼルバイジャンの紛争でAIを搭載した自爆ドローンが使われました。あなたの見解を聞かせてください。

ローパー あの紛争は、攻撃の精密性の向上に伴う〝価格ポイント〟が変わりつつあることを象徴しています。以前は、攻撃目標――それが動くものであるなら、なおさら――にねらいを定めることは非常に難しく、GPS衛星や独自のセンサー能力や自律性を備えた兵器システム

が必要でした。それらすべてを実戦に配備するとなると、コストは非常に高額になります。

しかも、GPS衛星のシステムには脆弱性がつきまといます。GPSを妨害できれば、航空機や船舶を含め、多くの兵器を無力化できるのです。そのため、われわれの敵は、兵器対兵器の戦いにおいて勝利を収めるのではなく、兵器が立脚しているシステムの能力を損なう戦略を採用しています。彼らが目指しているのは、槍の先端を叩くのではなく柄の部分を折ることであり、非常によい戦略だと言えるでしょう。

地形から敵のいる場所を特定、標的を選択して攻撃する――現在では、そうしたことが以前よりはるかに安価に達成できるようになりました。かつては開発に数百万ドル、あるいは数十億ドルかかっていた兵器と同じパフォーマンスを発揮するドローンを、ほとんどすべての国が入手できるようになっているのです。アメリカやその同盟国、パートナー国のもっている戦術的優位性、すなわち標的を正確に攻撃できる精密性は、この20年ほどで一気に価値が下がりました。

通常、人間と遠隔地のドローンのあいだでネットワークを構築することには高いハードルがあるのです。ドローンが送信したビデオ映像を人間が確認して、「適切な標的である」と判断し、航行信号によってドローンに攻撃命令を送信します。衛星と通信システムと人間が必要で、コストがかかるだけでなく、高度な技術力が求められました。

第一次湾岸戦争（１９９１年）にさかのぼれば、遠距離操作でミサイルを正確に的中させた米軍の能力に誰もが驚愕（きょうがく）しました。これは衛星、航空機、兵器に対して行われた数十億ドル規模の投資によって実現したことです。しかしいまは、ドローンにカメラとコンピューターを搭載することで、数千ドルでそれらのテクノロジーのもつ機能を一つにまとめられるようになりました。

――２０２１年６月、アメリカのニューヨーク・タイムズ紙など複数のメディアが、リビアの内戦において自律型致死兵器が使われた可能性について報じました。〝ＡＩ以前〟の時代に行われていた戦争と、〝ＡＩ以降〟の時代に行われるかもしれない戦争との、重要な違いは何だと思いますか。

ローパー　ＡＩが戦場で使われるようになったときに、世界がどうなるか。これについては多くの予測や憶測があり、好ましくないことがたくさん起こるだろうと言われています。

リビアの内戦では、ＡＩが自律的に意思決定を行い、人間を攻撃するという一線が越えられた可能性があります。ドローンの製造元であるトルコの軍事企業は否定していますが、事実であれば、私の知る限り、まったく人間が関与しない完全な自律型致死兵器が使用された最初の例ということになるでしょう。中小国による実戦での自律型致死兵器の使用は、世界のパワーバランスを変える可能性があると思います。

私は自律型致死兵器について、大きな懸念をもっています。自律型致死兵器は、技術面でもコスト面でも容易に運用することができ、戦場に持ち込むことで一気に優位に立つことができます。

この兵器の登場は、責任ある軍を有する、責任ある大国だけがＡＩを活用できる時代が、過去のものになったことを意味します。すべての国、そしてテロ組織を含む非国家組織に、それが可能になりました。１０００ドルの兵器が５０００万ドルの兵器を脅かすことができるなら、それは戦場においてよい等式ではありません。アメリカや同盟国、パートナー国が取り組むべきは、戦場における〝精密性の価格ポイント〟を引き上げることです。

アルゴリズムを無力化したり、ドローン本体を破壊したりするなどの方法で、自律型致死兵器に対抗する仕組みをつくることも一つの方法でしょう。その観点から言えば、指向性エネルギー兵器は非常に有望です。[★3] １０００ドルのドローンに対して10万ドルのミサイルを発射するのは賢明だとは言えませんが、指向性エネルギー兵器であれば電力と同じコストしかかかりませんから。指向性エネルギー兵器は、未来の戦場において大きな存在感を示すことになるかもしれません。

また、安価な商用ドローンはレーザーに対して脆弱であるため、レーザー兵器の開発も、

〝精密性の価格ポイント〟を引き上げるために有効でしょう。つまり、戦場で脅威を与えるためには途方もないカネがかかるという状況をもう一度つくり出すのです。ハードルが高ければ高いほど、責任をもてない国が戦闘に参加することは難しくなるでしょう。

5000万ドルのものを脅かすには少なくとも5000万ドルかかるとなれば、抑止力が復活します。ですから、テクノロジーそのものだけではなく、テクノロジーの価格についても、追跡し管理しなければなりません。最終的には、どのような戦術的関与も非常にコストが高い行為であり、少数の国のみが採用できる行為であることを確たるものとする必要があります。

★3　砲弾やミサイルなどによらず、電磁波エネルギー、音波エネルギーをはじめとした指向性エネルギーを直接照射して、目標物を破壊する兵器。

フェイクニュースは戦場の新たな兵器である

――AI兵器はドローンだけではありません。たとえば、インフラに対するサイバー攻撃やフェイク動画を制作して真実ではないニュースを拡散するなどして、民間に混乱を引き起こすことも可能です。AIがサイバー空間で使用されることについてどうお考えですか。

ローパー　いま、あなたがおっしゃったことは、すでに現実に起きています。インターネット上で多くのボット（SNSで自動投稿を行うアカウント）が使用され、事実上サイバー戦争が仕掛けられていることを考えれば、それはもはや現実だとしか考えようがありません。

サイバー戦争は、人間とＡＩの共同作業について考えるうえで、非常によい事例だと思います。人間が戦略を立案しＡＩがそれを実践することはアメリカのサイバー戦争の要ですが、何を行うかを決定するのは人間であり、たとえばスポーツのコーチや、オーケストラの指揮者に相当します。そしてＡＩは、スポーツ選手やオーケストラのメンバーが指示に従うように、自らの役目を果たします。そして人間は、実行された戦略のフィードバックに基づいて、次にどうすべきかを考えます。

しかし、サイバー戦争は展開される速度が非常に速いので、こうした共同作業が難しいと言えます。ＡＩは、優先順位の高い標的に対して、１秒で何百万回もの攻撃を行うことができます。そのような超高速で行われる意思決定に人間が深く関わることは不可能です。それが現在の状況であり、そのまま未来の戦場のフォーマットとなっていくでしょう。


――フェイクニュースが国家間の戦争に対して与えるインパクトについては、いかがでしょうか。この問題の射程については、まだよく認知されていないように思います。

ローパー　現代は事実を知ることが非常に難しい時代であり、およそ信じられないような大ウソが事実になりうる時代です。フェイクニュースは、国家がこれから取ろうとする戦略の決定プロセスに混乱を生み、非常に大きな害をもたらします。たとえば、ある国とある国のあいだで戦争が起きたとして、その引き金となった出来事や経緯、戦争がもたらすであろう結果、戦場で起きていること、戦争が起こっているという事実そのもの――それらすべてを曖昧にし、物事の理解を困難にするのがフェイクニュースです。

「戦場の霧（fog of war）」という言葉をご存じでしょうか。19世紀のプロイセン王国の軍人であり軍事学者でもあった、カール・フォン・クラウゼヴィッツという人物が定義したと言われています。戦場における不確定要素を意味しますが、端的に言えば、「戦場では事実が曖昧になりがちである」ということです。いまのアメリカは〝真実の霧〟の中にいるような状態です。

何を信じればよいのかわからず、何が事実であるかわからなければ、国家はその時間と能力を浪費し、そして何より自国民を団結させたり、戦争の意義を納得させたりすることも困難になるでしょう。フェイクニュースは戦場における新たな兵器であり、私たちは早急にどのように対処していくか、取り組まねばなりません。

フェイクニュースを巡って希望があるとすれば、フェイクニュースを生み出すテクノロジーが誕生するなら、対抗するテクノロジーもまた誕生するという点です。これには、オンラインショッピングを思い起こさせるところがあります。かつて、ＥＣサイトには多くのリスクが存在しましたが、それを解決するために多くのセキュリティ対策が講じられました。その結果、インターネットのセキュリティが向上したのです。
データの発信源を信用できれば、データを信用することができます。いずれ安全な状態で情報交換が行われる時代が到来し、フェイクニュースによって生じる影は、いまよりも薄くなるでしょう。まだ先の未来になるとは思いますが。

未来の戦争は見えないところで起こる

――サイバー戦争は新たな領域だと思いますが、国際的な法律をつくり、規制する必要があるのでしょうか。

ローパー　戦争が起こっていてもそれが認知できない場所において、最初に衝突が起こるようになるでしょう。サイバー空間は間違いなく、〝最初の場所〟の一つになりえます。同じく宇宙空間や海底も、衝突が起きているのかどうか、認知しづらい場所だと思います。行動に関する機密性が国家の利益にかなうこれらの空間では、敵の特定が極めて困難なのです。

　この問題に対処する方法は二つあります。一つは、そのような場所についての情報を増やし、敵が隠蔽（いんぺい）できないようにすることです。もう一つは、それが完璧に遂行できない場合の対処法です。そういう場所において獲物になるのでなく、最も優れたハンターになることを目指すのです。

　法律に関しても同様です。人間は自らの置かれた新しい状況において枠組みをつくり変える努力をすることも可能ですが、それが困難な場合はその状況下で強者になろうとします。現代、そして近未来において、サイバー空間と宇宙空間は新しい戦争の領域であり、そこで強者になる必要があります。

――サイバー空間においては、攻撃なのか攻撃でないのかの境目がとても曖昧ですが、そのようなグレーゾーンで戦争が発生する可能性は今後、高くなりそうです。いずれ、私たちが気づかないうちに戦争が始まっていることが、ごくふつうになってしまうような気さえします。

ローパー　ご指摘のとおり、サイバー空間はグレーゾーンです。白でもなく黒でもない、戦争状態でも平和な状態でもありません。残念ですが、サイバー空間にはもはや平時は存在しません。この先、悪人がいなくなることはないでしょう。悪人は国家のこともあれば個人のこともありますが、まずはその事実を受け入れ、心構えをしなければならないと思います。

第二に受け入れなければならない事実は、サイバー空間では敵を識別するのが困難であることです。攻撃されていることがわかっても、誰が攻撃しているかを把握できず、反撃ができません。ですから、アトリビューション（攻撃者の特定）——つまり敵を知ることが非常に重要であり、優れた防御体制を構築することが絶対的に必要だと思います。

サイバー空間での攻撃は毎秒数百万回も行われますから、これを食い止めるためにＡＩを活用することは必須です。さらに、アトリビューションを容易にするための新しいテクノロジーを開発する必要もあります。それによって防御だけでなく対抗攻撃によって抑止効果を得ることが可能になり、大規模なサイバー戦争の可能性を低減することができるでしょう。

しかしながら、アトリビューションは非常に困難で、今後もそのような状況が続くと思います。サイバー空間において敵を特定するためのテクノロジー開発のスピードが、ハッカーのテクノロジー開発のスピードに後れを取るからです。

繰り返しになりますが、サイバー攻撃への抑止力という点では、優れた防御体制とアトリビューション、そして対抗攻撃、この三つが必要です。これはサイバー空間以外の未来の戦争を考えるうえでもよい事例になると思います。

自律型致死兵器は〝パンドラの箱〟である

――いま、国連で戦争における自律型致死兵器の使用に関する議論が起こっています。ＡＩ戦争に関して、国際ルールを決める必要性について見解を聞かせてください。

ローパー　自律型致死兵器の利用を推進するべきではありません。ギリシャ神話では、パンドラの箱から出てきたあらゆる災いを中に戻すことはできませんでした。私たちはパンドラの箱をできるだけ長く閉じたままにしておくべきです。いったん自律型致死兵器が普及したら、それを〝箱〟の中に戻すのは難しいでしょう。ある国が活用すれば、抑止力を回復するために他の国も追随するしか道がなくなります。

可能であるならば、そのような未来になってほしくないと思います。相手からの反撃に遭い、多くの人命が失われ、自国に極めて悲惨な状況がもたらされるかもしれません。その可能性を考慮すれば、「あえてやろう」と考える国はなくなるでしょう。

まず、戦場に「リーサル・オートノミー（ＡＩが独自に致死性の攻撃の判断をすること）」をもち込まないようにするために、強力な国際協調が必要だと思います。世界各国は一致協力して戦場における責任を背負うべきです。

戦争における説明責任は、国際人道法などによって定められた秩序の根幹を成すものであり、ＡＩが行った戦場での意思決定や判断についても、当然同じことが期待されます。しかし、当のＡＩに対して、なぜその意思決定を行ったのかと問うことはできません。もしＡＩが答えるとすれば、「インプットされたあらゆるデータを計算し、導き出した最善の選択肢だった」というものになるでしょう。これは誰にとっても納得のいく答えではありません。人命に関わる重要な決定をＡＩに委ねることは責任を伴う行為とは言えず、許されてはならないことだと思います。

自律型致死兵器を利用し、列の前に割り込もうとする国々によって、近年、世界秩序は侵食され始めています。秩序を取り戻すために、私たちは懸命に努力すべきです。

人間が戦場で危険にさらされることはなくなるのか

――2030年には多くの大国が軍においてAIを利用すると予測されていますが、これからの10年で、AIは未来の戦争をどう変えると思いますか。

ローパー　誰かに未来の予測をするように頼まれたら必ず、深呼吸をするべきでしょう。なぜなら、どのような予測をしても必ず間違えることになるからです。とはいえ、私に断言できる予測の一つは、ＡＩはほとんどすべての軍事システムに組み込まれているだろうということです。

２０３０年を一つの区切りとするならば、（インタビューを行った２０２１年から）それまでの９年間は、それぞれの国がＡＩの最高の活用方法を見極める期間になると思います。テクノロジーを向上させるだけでなく、ＡＩとの共同作業を可能にする準備状態をつくり出す期間となります。

国によって、ＡＩの軍事利用の仕方はさまざまなはずです。ＡＩにリーサル・オートノミーをまったく行わせないという国もあれば、残念ながらそうでない国もあるでしょう。足並みをそろえることはたいへんに難しいと思います。

将来、戦場で自律型致死兵器を使うようになれば、戦場で起きるほとんどの出来事に人間は介在せず、そこで意思決定を行うのはＡＩということになり、人間が戦場の危険にさらされることはなくなります。もし、戦場でリスクにさらされるのが自国民ではなく技術や機械だけだということになれば、紛争の起きる可能性は高まっていくでしょう。

私は、紛争が頻発するような未来は望みません。人々がこれまで活用しようとしてきたあらゆるテクノロジーと同じように、ＡＩの利活用には大きな責任が伴うと思います。部隊にＡＩ

を導入する軍は、国に対して、国民に対して、そして世界に対して、そのために未来がどう展開するのかを示す義務があります。そして彼らには、ＡＩを利用するうえでの説明責任があります。なぜ戦場でその選択が行われたのか、ＡＩを使うことによる便益とリスクは何かについて説明できなければなりません。「ＡＩを使ったのは、それが利用可能だったからだ」などという答えでは許されないのです。

私はいつも、「軍事面で使われるすべてのＡＩは有益なものになるだろう」と言えればいいのにと感じます。ほとんどはそうなるでしょうが、一方で、ネガティブな面が生じることも認識しています。私たちはそうしたことへの対処に、前もって力を注ぐ必要があるのです。実際、アメリカは、ＡＩを軍に導入していくうえで、望ましい政策やルール、ＡＩによる意思決定などについて、倫理面からも議論を深めています。

われわれと同様に、世界中の政策決定者はもちろん、さらに多くの人々が、ＡＩが世界をより安全な、よりよい場所にするものと考えることを願っています。

インタビュー 2

ニック・ボストロム

AIへの技術的移行は いかになされるべきか

Niklas Boström

1973年生まれ、スウェーデンの哲学者。オックスフォード大学マーティン・スクール哲学科教授。同大学の「人類の未来研究所」、戦略的人工知能研究センターの所長も務める。AI、マインド・アップロード、人体冷凍保存、ナノテクノロジーなど最先端テクノロジーをテーマに書籍・論文の執筆、メディアでの講演を行っている。アメリカのニュース誌『フォーリン・ポリシー』では、「100 Leading Global Thinkers（世界の頭脳100人）」に2度選出。

合成生物学やナノテクノロジーとともに、ＡＩを、人類を滅亡へと導く「新たなリスク」と呼んだ、２０１５年のレポート「文明を脅かす12のリスク」。

　世界に衝撃を与えたこのレポートは、イギリス・オックスフォード大学「人類の未来研究所」のメンバーを中心にして取りまとめられた。同研究所の創設者であり、いまも所長を務めるのが、哲学者ニック・ボストロム氏である。物理学、計算論的神経科学、数理論理学など、一つの学問領域にとどまらない研究活動を行っている彼自身も、その著作や講演のテーマにＡＩを好んで取り上げる。

　２０１４年に刊行した著書『スーパーインテリジェンス 超絶ＡＩと人類の命運』（邦訳17年）で、ボストロム氏が挑んだのは「ＡＩコントロール問題」だ。人間同様に物事を理解し課題を解決する汎用人工知能が、そして人類を圧倒的に上回る超絶知能（スーパーインテリジェンス）ＡＩが出現した場合、果たして人類はＡＩを制御できるのか――。同書は、ＡＩのもたらす未来を大胆な論理展開のもとで、極めて明晰（めいせき）かつ精緻に論じた大著である。

　しかしボストロム氏は、ＡＩへの危機感をやみくもに煽（あお）る、〝テクノロジー悲観論者〟ではない。本インタビューにおいて、自ら「技術決定論者寄り」と語っているように、ＡＩをいかに安全に運用するかが彼の目指すところだ。

　今回、取材班はボストロム氏に、ＡＩ兵器が戦争をどう変えるのかについても見解を尋ねた。

ドローン対ドローンという構図になる〝ロボット戦争〟のシミュレーション、ＡＩ兵器を巡る倫理的問題についての思考実験――彼は、示唆に富む多くの事例を紹介しながら、ＡＩと戦争の未来を描いてみせた。

ボストロム氏は、激化する大国間の対立を憂い、世界はふたたび冷戦時代に逆戻りしてはならないと訴える。テクノロジーの暴走に警鐘を鳴らしつつも、その可能性を決して放棄しない彼の出発点は、あくまでヒューマニティに存在する。

人類は壺から〝黒い球〟を取り出そうとしている

――テクノロジーは概して私たちの予測よりもはるかに速いペースで進化しています。具体的にどの科学技術に私たちの未来を脅かす可能性があると思いますか。

ボストロム　あなたがたが、「明日にも私たちを殺しかねない技術」について尋ねているのなら、核兵器は依然としてそのリストの上位に位置していると思います。しかし、今世紀中に生じるリスクについて予測するのであれば、ＡＩと合成生物学も私のリストの最上位に近いポジションを占めるでしょう。[★1]ナノテクノロジーも同じようなことが言えるかもしれません。

しかしAIは、次の点で特別だと思います。私は人間より優れた機械知能の発展は、人類の生存にリスクをもたらすだろうと考えていますが、適切に開発すれば、他の多くのリスクを減らすことにも役立つと思います。つまり、AIが飛躍的に進化を遂げることには、リスクを高める側面とリスクを低減する側面の両方があるのです。

――先ほど、AIとともに挙げられた合成生物学についてはどうですか。AIと同じように、よい側面と悪い側面があると見ていますか。

ボストロム　もちろん、医学や農業などの領域においては、とても大きなメリットがあります。しかし、生命の構成要素を操作できるこの能力は、簡単に大量破壊を引き起こす方法へと結び付く可能性があるのです。

私たちは核兵器がどれほど破壊的な存在かを知っていますが、それらを実際に製造するのは非常に困難です。高度に濃縮されたウランもしくはプルトニウム、そして高度な科学技術が求められます。そしてそれができるのは、国家、それもすべての国ではなく、ほぼ先進国に限られるのです。しかし合成生物学においては、核兵器と同規模の破壊、あるいは（拡散するので）それ以上の破壊を容易に引き起こす方法を人類が見つけないという保証はありません。

私は、人類の創造の歴史は、大きな〝開発の壺〟から〝球〟を取り出すという行為の連続だったと考えます。〝球〟は、アイデアや手法、技術を意味します。多くの局面で人類は、〝壺〟から、〝白い球〟を取り出してきました。よりよい道具やよりよい器具を開発し、よりよい概念を得てきたのです。

現在も私たちは次々と〝球〟を取り出しているわけですが、これまでのところ、それらのほとんどは〝白い球〟、せいぜいが〝灰色の球〟です。しかし、壺の中には、いまだ見ぬ〝黒い球〟が入っているかもしれません。〝黒い球〟は、文明を必然的に滅亡へと追い込むようなテクノロジーを意味します。

私は、人類がこの〝黒い球〟を取り出すことを恐れています。なぜなら、人類は〝球〟を取り出す方法、つまり、開発がかなり上手になった一方で、〝球〟を〝壺〟の中に戻す方法を知らないからです。人類は、自分たちの発明や発見をなかったことにはできないのです。

〝黒い球〟の顕著な例の一つが、合成生物学によってもたらされるリスクです。合成生物学を活用して大量破壊兵器をつくり出されることを危惧しています。まだこの分野のコミュニティでは、セキュリティについての共通認識や培われるべき文化が原子物理学や原子核工学の専門家たちほどは進んでいないと考えています。物理学者は、マンハッタン計画を経て、自分たちの研究は純粋な科学的達成だというだけではなく、現実世界に対し途方もない影響があることを学びました。そしてそれに伴い、彼らの中に責任感も生まれたのです。

多くの生物学者はいまでも、「自分たちのやっていることは純粋な科学であり、実験は奨励されるべきである」とか、「『ＤＩＹバイオ』[★2]はイケてるから、高校生たちにもいじらせるべきだ」などと考えています。将来的には、合成生物学の研究は、監視機能やアクセス制限などの仕組みを備えた、より管理されたシステムに移行する必要があるかもしれません。

★1　1980年代に研究が始まった、100万分の1ミリ（ナノメートル）という超微小世界で、原子や分子を自在に操作する技術。医療や産業への幅広い応用が進んでいる。

★2　個人や小グループなどが、ＤＩＹのような手軽さで新たなバイオテクノロジーや合成生物学の手法を開発・利用しようという、分子生物学大衆化の流れや運動。

超絶知能ＡＩは人間をどう変えるか

――2030年にはＡＩの開発はどこまで進んでいると思いますか。

ボストロム　今後ＡＩがどこまで進化するのか予測しろ、という質問にはとても答えづらいところがあります。私は2014年に刊行した著書の中でAIの未来について展望を示しましたが、その後の発展は、本当に目を見張るものがあります。私の当時の予測より、進歩の速度が上回るのです。

私の見る限り、AI研究は行き詰まっておらず、エキサイティングなアイデアが考案される研究分野が大いに存在していると感じています。加速度的な進歩はこれからも継続するというのが、私の予測です。果たして、人間のように学習する完全な汎用人工知能の登場までどれぐらいの時間がかかるか。議論の余地が残されている問いだと思います。

AIを巡る未来予測は、尋ねた専門家によって大きく答えが異なります。コンセンサスはありません。汎用人工知能は今後10年から15年で実現すると確信している人もいます。一方で、それは決して実現しない、あるいは数百年かかると確信している人もいます。もしくは、そのあいだの年月を答える人もいるでしょう。実現される時期についての見立ては人それぞれです。私自身は、可能性があると思われる実現時期を幅広く設定して、そのあいだでの確率分布を計算していく必要があると考えます。

――あなたは著書の中で、超絶知能AIについて論じています。もしそのような機械知能が実現したら、それは世界を、私たちをどう変えると思いますか。

ボストロム　超絶知能ＡＩは私たちが行う必要のある最後の発明だと思います。それは、人間の知能、そして人間の生み出すありとあらゆるもの――科学やテクノロジーを含む――より優れた存在です。

超絶知能ＡＩについて考えることは、〝未来を望遠鏡で見ること〟と同じだと思います。人間がこれまで自分たちで発明してきたあらゆるテクノロジーを思えば、人類が費やしてきた４万年の作業時間があれば、スペースコロニー（宇宙居住地）、超高齢社会への対処や完璧な治療も実現できるでしょうし、人間の脳の全情報や意識をコンピューター上にアップロードする（マインド・アップロード）こともできるかもしれません。

私たちは、これらのテクノロジーが物理的に可能であることを知っています。ただ、非常に難しいというだけです。しかし、超絶知能ＡＩが出現し、研究や開発を行うようになれば、それらはすべてすぐに実現されるかもしれません。

つまり、技術的に成熟した状態にすぐに到達するということです。そしてそれによって、私たちが実現できるかもしれない多様な「人間の存在様式」の広大なスペースが拓かれるでしょう。そのいくつかは極めて価値の高いものだと思います。

私は、最近、本当のユートピアとはいかなる世界なのかということを考えています。想像してください。私たちが「困難ではあるけれども、実現は不可能ではなさそうだ」と考えるテクノロジーについて、あらゆる技術的制限が取り払われたとしたらどんなことが起こるでしょうか。そして、あらゆる望みがすぐに現実となる、完璧に変形・拡張可能な世界を想像してください。

そのような環境では、どのような人生を送ることが望ましいのでしょうか。これはいくつかの興味深い哲学的問題を提起します。

汎用人工知能実現に向けて人類がすべきこと

――加速度的な進化を続けるAIについて、解決されるべき喫緊（きっきん）の課題は何だと思いますか。想定を超えて、はるかに早く汎用人工知能が実現されれば、そのときまだ、私たちはAIを管理する準備ができていないかもしれません。

ボストロム　その時間がどれほどの長さかにかかわらず、10年であっても100年であっても、私たちは無駄にすべきではないと思います。私たちは、超絶知能AI開発の時間を利用し、それが実現するまでに、確実な準備をしなければなりません。

それはＡＩ、特に汎用人工知能の安全性や、「(価値観) 一致問題」に関する基礎研究の実施を意味します。一致問題というのは、〝能力はあるけれども気まぐれな知性〟が、私たちの意図しているとおりに実行する精度をいかに高められるか、という問題のことです。つまり、ＡＩの行為と、人間の意志や意図、価値観が〝一致〟することを目指すのです。

それが技術的な研究課題です。かつては軽視されていましたが、ここ数年、一部の賢明な人たちがその分野に取り組んでいます。われわれは、ロンドンのディープマインド社[★3]と共同の研究セミナーを実施しています。他のいくつかの研究グループも同様に取り組んでいます。

——実際に運用されるにあたっては、どのような心構えが必要でしょうか。

ボストロム　人類がテクノロジーといかに向き合い、どのように利用してきたか。その歴史には、よい面と悪い面が混ざり合っています。ほぼすべてのテクノロジーは軍事目的で利用されたり、人々を抑圧するために使われたりしています。ＡＩについては、よい用途での利用が圧倒的に多くなるようにするべきです。より強力なテクノロジーが利用可能になるにつれ、私たちは多くの政治的課題に直面することになるでしょう。

世界が結束して、より協力的なアプローチを取るためには、できることは何でも行うべきでしょう。その答えの一つは、ＡＩ研究のコミュニティの中に存在すると思います。倫理的問題に関して意識を高め、ＡＩ研究者のあいだにつながりを構築することは、超絶知能ＡＩへの対処を始めるための具体的な方法です。

ＡＩという概念が歴史上はじめて登場したのは、１９５６年にアメリカで開催されたダートマス会議だとされています。認知科学者のジョン・マッカーシーによって、「人間のように考える機械」は「人工知能」と名付けられました。以来、数十年間、倫理的問題が軽視され続けてきたのは、極めて遺憾なことだと思います。

何人かの先駆者はとても楽観的でした。彼らは、人間と同じレベルの知性を備えたＡＩが実現されるには10年程度かかるかもしれないと考えていました。いま私たちは、彼らがあまりに楽観的過ぎたことを知っており、「なるほど、彼らは、取り組む前にその問題がどれほど困難かはわからなかったのだ」と言うことができるのです。

しかし、私にとって理解しがたいのは、汎用人工知能の実現がたった10年先だと本当に考えていたのなら、なぜ倫理的問題や、世界への影響、人間レベルのＡＩができたあとに何が起きるかについて考慮しなかったのか、ということです。彼らはそれらの疑問に完全に無関心だったように思えます。

★3　２０１０年に創業された人工知能開発企業。同社ＣＥＯのデミス・ハサビスは人工知能開発の研究者としてだけでなく、脳科学者、コンピューターゲームデザイナーとしてのキャリアをもつことでも知られる。２０１６年、同社開発の囲碁ＡＩソフトウェア「AlphaGo（アルファ碁）」が、当時世界最強とも謳（うた）われた、韓国の囲碁棋士イ・セドルを破ったことは世界に驚きをもって受け止められた。

戦争の未来

――大国が発表している軍のロードマップの中には、２０３０年までにＡＩ兵器やＡＩを活用した軍の指揮系統システムの導入を施策として位置付けているものがあります。ＡＩが軍事力に組み込まれることについてどうお考えですか。

ボストロム　ＡＩは汎用技術だと思います。つまり、それは一つの部門に影響するのではなく、車輪や電気のようにいたるところで使われるでしょう。そしてそこには軍も含まれます。

用途のいくつかは日常的なものです。大規模な兵站（へいたん）活動を行う場合、どのような材料が必要になるかをＡＩに予測させることができます。Ａｍａｚｏｎで行われているＡＩの活用法と同じように、裏方として機能するのです。

そして、より具体的な軍事利用も予想されます。自律型致死兵器やＡＩを搭載したドローンは現在より効率的に移動し、標的とそれ以外を区別することすらできるようになるかもしれません。そして技術が拡散し、利用へのハードルが下がった場合、それが社会にとってどれほど危険な存在となるかも想像できます。

たとえば将来、３週間前に前もって配置されたドローンが、自律的に７キロ飛行して政治指導者を特定し、暗殺するなどということが実現する可能性もあります。いずれにせよ、そのようなＡＩの軍事利用が日常的となる事態は避けなければなりません。

現時点では、ＡＩ兵器システムが、攻撃と防御のバランスにどう影響するのかは不明な点が多いと言えます。攻撃を行うドローンの大群が向かってくる様子もイメージできますし、それを迎え撃つ防御ドローンの大群もイメージできます。しかし、その力学が最終的にどうなるのかについて考えることは非常に困難です。

――ＡＩが、たとえばディープラーニングによって、戦争の勝ち方を学習し始めるということは考えられませんか。

ボストロム　人間の営為である戦争全体について、汎用性を伴う能力をもつということは、とても複雑な学習が求められます。あなたがたの言うような状況は、ＡＩが、人間と同じ水準で思考する汎用性を獲得したときにはじめて実現すると思います。

それが厳密に何を意味するかは別として、汎用人工知能――人間と同等のＡＩ――ができれば、超絶知能ＡＩはそのすぐあとに登場するだろうと予測しています。

――ＡＩ兵器の拡散防止にあたって、国際的な枠組みづくりが求められますが、あなたの展望を聞かせてください。

ボストロム　世界が「キラー（殺人）ロボット」の開発を巡って、軍拡競争をふたたび始めないことが望まれます。私自身はまだ、ＡＩ兵器に関する国際条約を実現するための取り組みには直接参加してはいません。その理由の一つは、私が取り組むべきもっと優先度の高い問題があると思っているからです。そして、何を禁止し、何を規制すべきか、厳密には不明確であることも理由として挙げられます。

ＡＩ兵器による致死力の行使にも二つのパターンが考えられます。まずＡＩが自律的な決定を行うパターンは想像しやすいでしょう。もう一つのパターンは、それとまったく同じ兵器に加え、オフィスで画面の前に座っている19歳の兵士がいるという設定です。彼の仕事は、ＡＩが「発射」と言ったら、必ずボタンを押すことなのです。ＡＩが自律的に決定することは同じであっても、最終的に攻撃を行うのが、ＡＩなのか、人間なのかが異なるわけです。ＡＩ兵器を規制するとしても、条件設定についてはこうしたさまざまなバリエーションが考えられます。実際的なルールをつくり出していくことは、一朝一夕にはいきません。

〝ロボット戦争〟が人類にとってマイナスとならない可能性もゼロではありません。ロボットがロボットと戦争を戦うような世界であれば、若者が互いの体を撃ち合うよりもましかもしれません。さらに言えば、その場に居合わせた不特定多数の人を巻き込む爆弾と、ＡＩが特定の人物だけをターゲットとする精密攻撃。この二つを天秤にかけて、どちらが人類にとってましなのか、私たちに選択できるでしょうか。

それでも、世界がＡＩ兵器の拡散を制限する合意に至ったら、それはよい兆候でしょう。これらの兵器システムがテロリストや犯罪者の手に渡るのを防ぐための合意も必要だと思います。注目を集めるような事件があってはじめて、それに対処しようという動きが加速するのかもしれません。

もし冷戦がふたたび起きたら

――AIの軍事利用における技術的進化を認識したうえで、私たちは何を恐れるべきだと思いますか。

ボストロム　より広範な話をすれば、依然として世界は分断されたままです。さまざまな国が競い合い、しばしば敵対しています。そうした国際的な無秩序状態が続く限りは、過去に何度も起きたような大規模な戦争が起きやすい状態は続くでしょう。

それに、戦争を以前よりもひどいものにしたり、戦争を始める際の敷居を低くしたりする、すなわち先制攻撃の動機を生むかもしれないような技術的発展の可能性も高まっています。ＡＩはその一例かもしれません。

差し迫った人類の生存に関わるさまざまなリスクの多くは、私たちが国際的な無秩序の問題を解決できれば、もしくは対立を平和裏に解決するための機動性があれば、なくなるか、あるいは劇的に低くなるでしょう。

地球温暖化のような危機も、本質的には同じです。それは単に、世界規模の協調の問題なのです。であるなら、なぜ、そうした社会課題が解決されていないのでしょう。それは、他の人々の努力にただ乗りする個人や国の方が有利であり、一つの解決策に私たちすべてが合意してそれに従うことになる強制力がないからだと言えます。これは、この世界がいまだ抱えている、たいへん大きな脆弱性です。

私は、人類が冷戦から何も学ばなかったのではないか、あるいは誤った教訓を学んでしまったのではないかと危惧しています。私はいまでも、子ども時代のことをかなり鮮明に覚えています。いつなんどき、一部の人の誤算や事故によって、核のアルマゲドン（世界最終戦争）が起きてもおかしくないという恐怖がありました。

しかし人類は、冷戦を生き延びました。

一部の人は、「冷戦はそれほど危険ではなかったのかもしれない」と考えています。しかしそのような考えは、私にロシアンルーレットを思わせるのです。人類は引き金を引いたものの、生き延びた。学ぶべき教訓は、「ロシアンルーレットは安全だ。もう一度やってみよう」ではなく、「ありがたいことに私たちは生き延びられた。もう二度とロシアンルーレットをするのはよそう」であるべきでしょう。

いま私たちは、公開された核のアーカイブを見ることができます。そして世界が、キューバのミサイル危機だけでなく、他のいくつかの場所でも数回どれほどそれに近づいていたかを見ることができます。

私はいま、世界がふたたび冷戦に陥るかもしれないと危惧しています。それを避けるために大きな努力をすることすらなく、です。そして人類が、これから1世紀のあいだに生じる、あらゆる技術的変動に向けて極めてひどい環境をつくり出すことを恐れているのです。

世界の調和を高めるために

——テクノロジーの進化が私たちにもたらすのはユートピアでしょうか、ディストピアでしょうか。そして、それは最終的に私たちに何をもたらすでしょうか。

ボストロム　私には、極めてよい結果が待っていそうだと思えます。特にＡＩの動向についてはそうです。それを正しく実行できれば、私たちの抱えるさまざまな問題の解決策になるかもしれません。病気、貧困、あらゆる種類の恐怖といったマイナス要素を除去するだけでなく、いまはまだ私たちには見えないプラス要素の領域をも新たに切り拓くという点においてです。

人間のもつ基本的な生物学的制限は、私たちが体験できること、私たちが考えられること、私たちにできること、そして私たちが送ることのできる人生に限界を課します。私たちは皆、70年、80年、90年後には死にます。ＳＦ作家のアイザック・アシモフは、「人間には3ポンド（約1・36キログラム）の脳があり、それは私たちが知る限り、宇宙で最も複雑で秩序のある物質の配列である」という言葉を残しています。私たちは、「3ポンドの水分の多い物質」で考えるしかないのです。

人間が快楽を渇望するシステムには、「トレッドミル（ランニングマシン）の機能」が備わっています。たとえ、宝くじに当たっても幸福は数日しか持続せず、幸福を覚える基準は新たなレベルにリセットされてしまうのです。人間の幸福を持続的に高めるのはとても難しいことですが、それも、成熟したテクノロジーによって可能になるでしょう。

私たちの目の前に、「ポストヒューマン」の可能性が解き放たれる場所へと続く道がありまず。分岐を繰り返すその道を賢く選択すれば、未来は想像もつかないぐらいすばらしいものになる可能性があるのです。

——私たちはテクノロジーの進化についてもっと慎重になり、倫理的問題について考える必要があると思いますか。

ボストロム　ある特定のテクノロジーに対して賛成か、反対か——たとえば、「私たちは汎用人工知能を開発すべきか否か」と考えるのはあまり有益ではないと思います。私は技術決定論者[★4]寄りの人間です。科学と文明が続く限りは、人類はテクノロジーを前進させるでしょうし、それらはやがて可能になると考えています。

私たちが行うべきは、テクノロジーの実現時期を厳密に設定することです。あるテクノロジーの開発に多くの資源を計画的に投入することによって、その時期を1年早められるかもしれません。あるいは開発に対する意欲を奪うことによって、その時期を数年後にずらすこともできます。こうした一見小さく思えるタイミングの変化が、時として重要な意味をもつかもしれません。それはさまざまなテクノロジーが世に出る順番に影響する可能性があります。

たとえば、合成生物学はいくつかの大きなメリットといくつかの大きなリスクに関連付けられるでしょう。ＡＩもいくつかの大きなメリットといくつかの大きなリスクに関連付けられるでしょう。

私自身としては、合成生物学よりもＡＩのさらなる開発を優先したい考えです。なぜなら、私たちがＡＩを適切に開発し、リスクを回避できれば、合成生物学からリスクを除去することに役立つと思うからです。しかし順序が逆になれば、私たちはまず合成生物学のリスクに直面することになります。そしてそれを回避したあと、ＡＩのもつリスクと向き合うことになるのです。

私はこれを「差動的技術開発」の原則と呼んでいます。つまり、物事を恒久的に阻止しようとするのではなく、対抗する技術の加速化に努め、リスクを増加させる技術に対する意欲を少しだけ減退させるのです。

――若い世代がテクノロジーの進化にどう向き合うべきか、あなたのお考えをお聞かせください。彼ら・彼女らがテクノロジーの何に対して慎重になり、何を享受すべきか、メッセージをお願いします。

ボストロム　まず、私たちはこれまでで最高の時代に生きていると思います。生活水準はかつてないほど高いです。ですから、時には自分のもっているものに感謝すべきでしょう。

私は、若いあなたが生きているあいだに、人類の長期的な運命を決定付ける根本的な技術的移行が行われる可能性が高いと見ています。私が念頭に置いているのは、特に超絶知能ＡＩの開発ですが、他のいくつかのテクノロジーについても同じことが言えます。社会に対してよい影響を与えたいという意欲があるなら、それらに多くの注目を振り向ける価値はあるでしょう。

いま、世界のさまざまな地域に、それらについて体系的に考える試みを開始したコミュニティがあります。彼ら・彼女らは時に、「効果的な利他主義者」と呼ばれます。あなたが学問的意識の高い人なら、そうしたコミュニティに参加して、なんらかの方法で貢献したいと思うかもしれません。

最後に申し上げたいのは、人類の生存に関わるリスクや、人間が抱えている苦しみの最大の要因は、戦争と紛争であるということです。私は、その二つをどのように解決するべきかという問いに対し、正確な答えをもち合わせていません。しかし、あなたが世界の調和の水準を高める方法を見つけることができ、人類がいまよりずっとうまく協力し合うことを可能にする仕組みを見つけられたら、それは私たちが目指せる最も強力で優れた成果の一つであるとは言えるでしょう。

★4　技術のあり方が社会のあり方を根本的に限定し、その進歩が社会に不可避の変容をもたらすとする考え。

インタビュー 3

中満 泉

「新しい戦争」の現実と国連の理念

なかみつ・いずみ

1963年、東京生まれ。国連軍縮担当事務次長・上級代表。1990年代はUNHCR(国連難民高等弁務官事務所)等に所属し、湾岸戦争、ボスニア紛争の最前線で人道支援に従事。その後、2005年から一橋大学法学部国際・公共政策大学院教授、JICA(国際協力機構)平和構築客員専門員、外務省海外交流審議会委員などを兼任。2008年から国連に復帰し、国連平和維持活動(PKO)局のアジア・中東部長としてシリアやアフガニスタンなどの激戦地を主管。2017年に日本人女性としてはじめて国連事務次長に就任。2女の母。

ＡＩ兵器やサイバー攻撃の脅威が現実のものとなっていくなか、国連は「新しい戦争」にどう対処しようとしているのか。

２０１７年から国連軍縮部門のトップを務める中満泉氏は、「新たな軍拡競争が不安定要因を生み出し、その結果、予測不可能な武力衝突が起こる」可能性があると指摘し、今後5年、10年、国際社会は協力して「新しい戦争」の規制に取り組むべきだと訴える。

第2部冒頭の「いま何が起きているのか」でもふれたとおり、すでに国連では、ＡＩ兵器規制についての議論が始まっている。しかし、ＡＩ兵器の開発を進める大国から「技術の進歩を止めるべきではない」などと、法的な規制に反対する意見も提出され、テクノロジーの進化に議論が追いついていないのが現状だ。２０１９年に、「攻撃の判断は必ず人間が行う」「開発や使用を巡っては国際人道法を遵守する」との合意も形成されたが、具体的な規制の枠組みをつくるまでには至っていない。

既存の戦争の概念から大きくはみ出す「新しい戦争」は、他にもさまざまな難題を私たちに突きつける。たとえば、国家規模でなければ開発不可能な核兵器とは異なり、個人が簡単に扱えるＡＩ技術は非国家主体の武装組織などへの拡散が懸念される。さらに、ＡＩ兵器の普及が進めば、「人間の兵士を犠牲にしなくて済む」と、戦争へと踏み切る際のハードルが低くなってしまう恐れもある。

インタビュアーのスプツニ子！さんが投げかけた疑問に対し、中満氏は、国連での議論は既存の国際人道法の枠組みをベースに行われていると断り、「新しい技術が出てきているからといって、これまで人類が築き上げてきた紛争時のルールを弱体化させたり、なくしたりすることは決して許されない」と訴えた。

中満氏が、未来の平和を構築するために掲げるのは、「人間の安全保障」だ。約30年に及ぶ国連でのキャリアを通して、世界の紛争の現場でシビアな現実と対峙（たいじ）してきた彼女の言葉は、重い。

国際人道法から見たＡＩ軍事利用の問題

――歴史を振り返っても、テクノロジーと戦争は切っても切り離せない関係にあったと思います。いま、AIという新しいテクノロジーが非常に速いスピードで進化しているなか、従来とは異なる影響を戦争に与えるのではないかという見方が出てきていますが、この点について、国連はどのように考えているのでしょうか。

中満　ＡＩと戦争の問題を考える際、兵器としてＡＩを活用することと、ＡＩをその他のさまざまな機能に活用すること、この二つを区別して考える必要があると思います。

後者について言えば、たとえば兵站やデータ解析、早期警戒、シミュレーションを用いた訓練などの分野では、ＡＩの活用は効率化につながると見込まれますし、基本的には問題があるとは考えられていません。しかし前者、つまり、ＡＩが兵器として活用される自律型致死兵器については、まったく別の問題です。

実は、「自律型致死兵器とは何か」について、合意された定義はまだありません。いまのところは、一度起動すると限られた運用環境のなかで、人間の介入なしにさまざまな攻撃を実行していくような兵器システムであるという理解をされています。自律型致死兵器の運用が拡大していくと、さまざまな分野でいろいろな懸念が生じると考えられます。それらをまとめると、次のようなものになるでしょう。

一点目の懸念は、「ＡＩに人間と同じ判断ができるのか」ということです。相手が戦闘員か非戦闘員なのか、武力行使の範囲は適切かどうか、使ってもいい武器なのかそうではないのか、戦争で行っていい行為なのかそうではないのか——。

不幸にして戦争になった場合も、このようなさまざまな区別に則ることが定められており、これは国際人道法の重要な原則の一つです。人類がこれまで多くの戦争を経験し発展させてきたもので、戦争だから何をしてもいいというわけではありません。人間が国際人道法に基づいて行っている判断を、ＡＩという機械が実行できるという段階にはほど遠いというのが現状でしょう。

二点目の懸念は、「人間が下した判断には説明責任が要求される」という国際人道法のもう一つの重要な原則に関するものです。これに違反した場合には、軍人や司令官は責任を取らなければいけないと、厳格に定められています。しかし、機械に説明責任を任せられないとなれば、結局どこに説明責任を求めたらいいのかということになります。国連で進行中の議論の中では、武力行使の決定については、常に人間が介在し、コントロールする必要があるというところまで、一般的な合意ができつつあります。

三点目の懸念は、「遠隔操作で、もしくは自律的に機械が戦闘を行えば、犠牲者の出ない武力紛争が可能だ」というイメージが生まれかねないことです。それは逆なのです。武力行使をする敷居が下がってくる、つまり、武力行使がなされる可能性が高くなってしまうのではないかと考えられます。また、そうしたテクノロジーが伝統的に戦場とされてきた場所の外で使われることによって、民間人の保護という概念そのものが徐々に変質していってしまう可能性もあると言えるでしょう。

四点目の懸念として、「従来の兵器に比べ、ＡＩの軍事技術は拡散の危険性が高くなる」かもしれないことが挙げられます。つまり、いわゆるテロ組織や非国家主体など、民間人を保護するための義務を負うことへの関心や能力がない集団が、こういったテクノロジーを手に入れた場合、大変な状況が生まれるかもしれません。

――現在、アメリカ、ロシア、中国など、世界の大国がＡＩの軍事利用に力を入れています。今後10年で、戦争を巡る枠組みはどのように変わっていくとお考えですか。

中満　大きなポイントが二つあると思っています。一つは安全保障の観点からです。新たな軍拡競争が不安定要因を生み出し、その結果、いわゆる予測不可能な武力衝突が起こる状況が生まれかねない、ということです。

二つ目は、先ほどもお話ししたように、これまで国際社会が発展させてきた紛争時のルール、特に民間人保護という国際人道法の原則を維持していけるのか、ということです。これらの点で、２０３０年は分岐点になっていくのではないかと思います。

国際社会での議論はすでに始まっていますので、これから5年ほどのあいだに、その成果物としてどういう合意がつくれるか、あるいはつくれないかというところに、私たちの未来の安全がかかっていると言えるでしょう。

自律型致死兵器を巡る国連の議論

――国連で行われている議論では、おそらく国によって、ルールに対する考え方や姿勢はまったく違うのではないかと思われます。国と国とのあいだの溝を埋めていくためには、何が求められているとお考えでしょうか。

中満　いま、国連で行われている議論はＣＣＷ、日本語で言うと「特定通常兵器使用禁止制限条約」という、１９８３年に発効した条約の枠組みの中で行われています。ＣＣＷは、本質的に無差別に攻撃を行い、人間に不必要な苦痛を与えるような通常兵器の使用や、そういった兵器を保持する数量や使用のあり方を制限する、もしくは禁止することなどを交渉する条約です。

２０１４年以来、自律型致死兵器について、国連は公式、非公式両方の議論を進めています。２０１７年に設立された専門家会議ではさまざまな議論が行われ、２０１９年に11の適用可能な指針を採択することができました。

この11の指針の中には、たとえば国際人道法が自律型致死兵器を含むすべての兵器システムに適用されることを再確認することが含まれます。他にも、武力行使に関する決定については人間が責任を負わなければいけないことや、自律型致死兵器の研究・開発・配備・使用についてきちんと審査する義務をそれぞれが負っていることなどを再確認する、といったことも盛り込まれています。

この議論は継続中で、今後、専門家会議の中で、自律型致死兵器がどのような特性をもっているのか、またその課題は何かについて共通認識を深め、これからの国際社会が成すべきステップを検討するうえでの基盤をつくることになるでしょう。法的な規則をつくっていくのか、もしくは、政治的な宣言を出すのか、いろいろな選択肢があるわけですが、詳細はこれから議論していくことになります。

いま申し上げたことをまとめると、共通基盤をつくり、認識を共有し、そこから次のステップを考える、そして、合意する――そこまで議論を続けていくということだと思います。

――ＡＩ技術の進化のスピードがあまりに速く、議論とパラレルにＡＩ兵器の実戦での使用がすでに起きてしまっていると感じています。たとえば、２０２０年のナゴルノカラバフ紛争では、アゼルバイジャン軍が自爆ドローンを使ってアルメニアを攻撃しました。非常にショッキングな出来事でしたが、あのような攻撃が実際に起きたことは、国連の議論に大きなインパクトを与えたのではないかと思います。自律型致死兵器で人を攻撃することの是非については、人道的な観点から議論が行われているのでしょうか。

中満　ナゴルノカラバフ紛争だけではなく、遠隔操縦のドローンはすでにいくつかの紛争で実際に使用されており、このことについては、国連はもちろん、国連加盟国も、この数年間、大きな懸念を抱いてきました。国連加盟国の専門家の多くは、遠隔操縦のドローンを武器として使うことに対して、今後、意思決定の説明責任や、干渉の強化を目指した実質的な措置導入などについて議論されるべきだと痛感していると思います。

その他にも、移転の透明性という問題があります。国際貿易において、どういったかたちでドローンが国境を越えて移転しているのかについての透明性を高めていかなければなりません。

責任を問われるべきは国家である

――これまで、戦争と言うと、実際的な武力衝突のイメージが強かったと思いますが、現在ではサイバー空間内での戦争も重大なトピックになっています。従来存在しなかった新しい懸念として認識されていると思いますが、国連ではサイバー戦争をどのように捉えているのでしょうか。

中満　非常に重要なポイントだと認識しています。国連のグテーレス事務総長が、２０１８年に軍縮アジェンダを発表した際のスピーチで、「もし仮に第三次世界大戦があるとすれば、それはおそらくサイバー攻撃から始まるのではないか」と述べています。おそらく向こう5年から10年ぐらいのあいだ、サイバー空間の問題は国際協調の中でも、重要な課題の一つになるのではないかと、われわれは考えています。

ＡＩ技術の発展により、現在、行われているサイバー攻撃のほとんどはすでに自律的だとも言われています。それに加えて、プライバシーの保護に使われる暗号化のプロトコル（通信時の規格）がＡＩによって破られてしまうといった、サイバーセキュリティの問題も懸念材料の一つです。

しかし、ＡＩがサイバー空間で大きな脅威になるということは、同時に、ＡＩがセキュリティをむしろ強化する可能性もある、ということでもあります。アルゴリズムによってサイバー攻撃の〝芽〟を迅速に検出し、未然にその攻撃を阻止するためにＡＩを活用することもできるでしょう。つまり、ＡＩは、使い方によっては私たちの生活の役に立ち、人類のプラスになりますが、悪意のある使われ方をされてしまうと、甚大な被害を与える可能性のある、デュアルユース（二通りの用途。特に、民生用と軍事用）のテクノロジーなのです。

安全保障の観点からこの問題を考えるにあたり、重要なのは、テクノロジーそのものを制限する、禁止するのではなく、どのような技術が登場したとしても、国家の責任ある行動とはどうあるべきかに焦点を当て、議論を進めていくことです。

２０２１年5月、サイバー安全保障に関する国連の政府専門家会議において、かなり中身の濃い報告書が全会一致で採択されるという、非常にうれしいニュースがありました。この報告書では、国連憲章を含む既存の国際法がサイバー空間に適用されることが再確認されたほか、政府の責任ある行動に対する指針についても、拘束力のある義務を将来的に検討する可能性に留意するなど、相当踏み込んだ勧告を出しています。

次の議論の中では、国連としての包括的な行動計画をつくり、それを実行するための合意が形成されることを期待しています。

――技術そのものを規制するのではなく国家が技術をどう扱うか、その姿勢を注視するとのことですが、サイバー空間については他にも懸念される問題があります。先ほど、技術の拡散について言及されました。たとえば、核兵器は国家でなければ開発は困難ですが、ハッキングやAI開発は高校生や大学生、民間企業でも容易にできてしまいます。中満さんもおっしゃったとおり、誰でもアクセスできてしまうテクノロジーだと言えます。「サイバー攻撃をしたのは政府ではない。ハッカー集団が勝手にやったのだ」という言い逃れも可能でしょう。AI技術における民間と政府の関係性という問題について、どう考えていますか。

中満　いまおっしゃったことは、サイバー安全保障の問題を考えていくうえでいちばん重要なポイントの一つであり、先ほど申し上げた国連での議論においても取り上げられています。

核兵器の開発は、莫大な資金と広大な施設があってはじめて可能になります。現在では比較的容易になったと言われていますが、遠心分離機を必要とするなど、やはり高いハードルがあることは変わりません。核兵器は、基本的には国家予算の規模で開発していく類いのテクノロジーだと言えるでしょう。だからこそ、「平和利用のための技術としては促進していくけれども、兵器には転用しない、拡散をさせない」ことを定めたＮＰＴ（核兵器不拡散条約。１９７０年発効）に多くの国が調印したのです。

一方、ＡＩやサイバー技術の場合は、おっしゃるように、10代後半の若者が自宅のキッチンテーブルで開発することもできてしまいます。しかし、ほとんどのケースでは、最初から悪用する意図でテクノロジーが開発されるわけではありません。

できれば、そういったテクノロジー開発に携わる研究者や技術者には、〝責任ある発明〟ということを常に意識していただきたいと思います。あるテクノロジーを開発する際には、それが当初の目的とは違うことに転用された場合にどういうインパクトがありうるのか、そして、悪用させないためには技術的にどういったことが可能なのかというところまで、考えていただきたいのです。サイバー技術であれば、ソフトウェアの脆弱性に関しても透明性をもたせ、そこに対応するための方法についても提示してほしいと思います。

新しいテクノロジーの制限や規制についての議論では、やはり最先端にいる研究者や技術者からの知見が必要であることを、われわれは痛感しています。ＡＩに関しても同じことが言えますが、サイバー安全保障の問題は、これまでの軍縮の議論とはかなり毛色の変わった議論や対応の仕方が技術的にも必要になるでしょう。国連は基本的に加盟国政府によって構成されている国際機関ですが、２０１９年にはじめてマルチステークホルダー、つまり民間企業の研究者や、ＮＧＯ、専門家にも参画してもらい、政府の代表と一堂に会してさまざまな議論を行っています。

平時と有事の境目をどう考えるか

――サイバー空間における国家への攻撃が頻発しています。なかには、国民の生活に支障をきたすような、重要なインフラへのサイバー攻撃もあり、「これは戦争なのか、そうではないのか」と判断に悩むケースも存在します。いま、平時と有事の境目が曖昧になっていると言えるのではないでしょうか。この〝グレーゾーン〟の問題について、国連はどのような議論を行っているのでしょうか。

中満　実は、国連では〝グレーゾーンの戦争〟という言葉を使っていません。その理由の一つは、すでに軍事行動や武力行使に関する国際法上の概念が確立されているからです。ですから、その概念を理解し、維持していくことが必要と言えます。

ただし、サイバー戦争のような新たな状況については、さまざまな議論が行われていることも事実です。たとえば、ある特定の国家がサイバー攻撃を受け、それに対して通常の武力行使によって反撃することが国際法上許される行為なのかということについては、いろいろな見方があります。

このような、実際の軍事的武力行使には達しないけれども、他国に対して甚大な影響を及ぼすようなサイバー攻撃に関する問題認識は、国連加盟国のあいだでも共有されています。国際法に則って、国家主体としてそのようなサイバー攻撃を行ってはいけないことはもちろん、自分たちの領土内でサイバー攻撃を行う非国家主体があった場合には、きちんと司法の枠組みの中で追及していく。そのための規範を確立し、具体的に実施する、ということだと思います。〝予防のためのシステム〟を構築することで、「大規模な悪影響を及ぼすようなサイバー攻撃をさせないし、しない」という状況をつくろうという議論が、積極的に行われています。

――フェイクニュースの拡散や、国内の分断を増長させる誤情報の発信などによって混乱を助長すると

いった、新しいサイバー攻撃も最近問題になっています。これはここ5年ぐらいで世界を変えた出来事だと思います。特に民主主義国家にとって、今後大きな脅威になりうると思われますが、国連ではこの点に対して、新しいルールづくりなどについての議論は始められていますか。

中満 サイバー安全保障という分野は本当に幅が広く、たとえばフィッシング攻撃（メールやウェブサイトなどを通じて、個人情報を詐取すること）もありますし、コロナ・パンデミックにおいて頻繁に行われている医療設備に対するサイバー攻撃などもあります。一般市民の生活に悪影響を与えるサイバー攻撃は、頻度もスケールも年々大きくなっていると言えるでしょう。

国連でも、サイバー空間の問題についてはさまざまな分野で議論がなされています。プライバシーの問題はもちろん、サイバー空間でのいじめなどの人権問題、フェイクニュース、犯罪といった、多様な観点からサイバー空間の問題を包括的に議論しているところです。

サイバー戦争、最悪のシナリオ

――新しい時代のサイバー攻撃の最悪のシナリオを、国連としてはどのように描いているのでしょうか。

中満　最悪のシナリオとは申し上げたくはないのですが、安全保障の専門家のあいだで、いま、非常に懸念され、きちんとした議論が必要だと認識されつつある問題点があります。それは、いわゆる核兵器の指揮系統システムについてのものです。

核兵器の指揮系統システムにおいて重視すべきルールは、「ＮＣ３」と呼ばれています。これは、「コマンド」「コントロール」「コミュニケーション」、つまり指揮、統制、通信の通称「Ｃ３」、そこに「Nuclear（原子力）」を加えたものです。そのシステムにＡＩが使用された場合にどのような影響があるのかについての議論が始まりつつあります。しかし、いまのところ、確立された規則はありません。

核兵器の指揮系統システムにおいては、冷戦中、誤認識から核戦争になっていたかもしれない、ニアミスとも言うべき事態が何度も起こっていました。ＡＩが利用されることで、そのような状況がふたたび起こる可能性も考えられます。

ＡＩのテクノロジーは、リアルタイムでの分析やシステム、データ運用を非常に高速で行います。そのこと自体は、たとえば早期警戒や状況認識の強化というプラスの側面もあるわけですが、誤算が生じる可能性も否定できません。また、あまりにも速いスピードでＡＩが決定を下すなかで、人間の司令官は、「いま、自分が核ミサイルの発射ボタンを押さないと、もしかすると先に押されてしまうかもしれない」というプレッシャーにさらされ、ボタンを押してしまう状況に追い込まれていくことも起こるかもしれません。

他には、核兵器の指揮系統システムに対して、たとえばハッキングが行われた場合です。必ずしも、攻撃者は国家とは限りません。非国家主体やテロ組織などがサイバー攻撃を仕掛けたとして、攻撃者がすぐに特定できないということも考えられます。そうした状況において、ニアミス的な事態が発生し、発射ボタンが押されてしまう恐れも指摘されています。

私たちの抱いているいくつかの懸念の中には、AIのテクノロジーそのものがもつ不安定要素、つまり、予見可能性の低さがあります。AIがブラックボックス化し、なぜそういった結論に到達したのかが人間にわからないというケースも多いなか、たとえば、早期警戒システムが不安定化要因になり、壊滅的な結果を引き起こす可能性もゼロではありません。

これらのリスクを低減していくには、核兵器保有国間で信頼醸成を行い、保有国すべてが核兵器のシステムに干渉しないという政治的拘束力がある合意や、その合意を検証する措置をつくっていく必要があると、国連は考えています。

われわれにとって重要な指針である核兵器廃絶に向けて努力していくことはもちろんですが、AIやサイバー空間の時代における核兵器の存在を考えるにあたっては、直近のリスクを減らすための議論が非常に重要だと考えています。

――これまで国連では、先ほどお話しになられた説明責任や人権保護などをキーワードに、人間中心の安全保障を念頭に置いた、さまざまなルールがつくられてきたと思います。ただ、AIの登場によって、そういったルールの効力が減少する可能性もあるのではないでしょうか。現在の枠組みが破綻（はたん）してしまうかもしれないという懸念をお感じになることはないですか。

中満　新しいテクノロジーが登場したからといって、現在の国際法で規定されている、戦争のルールを定めた法的原則や拘束力のある規範をなくしてしまうことはもちろん、弱体化することも、決して許されてはならないと、国連は考えています。なぜなら、これらのルールは一夜にしてできたものではなく、人類が数百年ものあいだにいろいろな戦争を経験し、そこから一つひとつ積み上げてきたものだからです。

ただし、先ほども申し上げたように、テクノロジーそのものを禁止していくというアプローチを国連は取っていません。民生技術が兵器として使われる場合に、どのような新しい課題が生じるのか、そのことをきちんと理解したうえで、既存の法規範を使いながら、どのように制限していくか、そのための議論を行っています。

自律型致死兵器について進められている議論では、赤十字国際委員会が非常に具体的な提案をしています。国際人道法の大原則の一つは、「無差別兵器を使用してはいけない」というものですが、たとえば、「自律型致死兵器は無差別兵器である」と認定し、対人使用を禁止していくことや、国際法上保護されなければいけない民間の対象物に対する使用も規制するべきであるといったことが提言されています。

多様性が創造的な議論を生む

――AIの軍事利用をはじめとするテクノロジーにまつわる新たな問題、そしてもちろん、コロナ・パンデミック。私たちは大変に難しい時代を生きていると感じます。人類はこの10年、どうあるべきでしょうか。中満さんの展望をお聞かせください。

中満　コロナ・パンデミックは、従来の安全保障の概念は不十分であることを示したと思います。国家がそれぞれ多くの兵器を保有していても、パンデミックがまたたく間に世界に広がった事実を考慮すれば、安全保障の概念そのものをより広範に捉え、「人間の安全保障」[★1]を中心に据えていくアプローチが必要です。これからコロナ・パンデミックからの復興が必要になっていくわけですから、その意味でも安全保障とはどうあるべきか、きちんと見直すときに来ているのではないかと思います。

そのためには、武力紛争が起こった際、女性や子どもを含む最も脆弱な立場にいる人々の視点を中心に据えることが必要です。男性の軍事専門家だけではなく、さまざまなバックグラウンドの人が集まり、多様な視点を取り入れながら議論を進め、安全保障を構築することが求められていくと思います。

――軍事分野やAI分野における、女性の少なさを考えると、複雑な思いになります。世界平和についての議論も、ほとんど白人の男性だけで行われているのが現実ではないですか。

中満　先ほど、サイバー安全保障の専門家会議が報告書を全会一致で採択したという話をしましたが、実はこのグループのメンバー25名では、ほぼ男女半々の「ジェンダーパリティ（同等）」を達成できました。

こうした専門家グループは国連の事務総長が加盟国からの要請を受けて設立するもので、今回は主なメンバーである外交官だけではなく、テクノロジー分野の専門家も幅広く招集されました。私はとても多くの時間を費やして、グループに参加する女性たちをヘッドハンティングしました。当然、女性であれば誰でもいいわけではありませんから、かなり間口を広げて人を探し、多様なバックグラウンドをもった、男女半々の専門家グループを国連ではじめて設立できたのです。これは非常に誇らしいことで、国連会議のメンバー選定で伝統的に行われている地理的な配分に加えてジェンダーについても等しく配分されたことは極めて画期的だったと思います。

ジェンダー平等は、グテーレス事務総長にとって非常に優先順位が高いトピックで、軍縮問題についての事務総長の諮問委員会でも、男女半々はマストになっています。加盟国からの要請で会議を開く際には、私たちがメンバーを選ぶことができますので、必ずジェンダーパリティにするのですが、加盟国がメンバー選定の決定権をもっている場合には、なかなかうまくいかないことが多いですね。

――世界全体の平和や人類全体の人権といった大きな問題を考えるとき、多様な視点は不可欠であるということですね。しかし、日本や一部のアジアの国々では、この当たり前であるはずの感覚を共有するのがまだまだ難しいとも感じます。

中満　正直に申し上げると、核兵器禁止条約（２０１７年に国連総会で採択、２０２１年に発効）を唯一の例外として、軍縮の分野では、もう30年近く大きな成功を見ることはありませんでした。それは、おそらく伝統的・軍事的な安全保障のことだけを考えている年配の男性ばかりが集まって議論をしているので、新しい視点が出てこなかったということかもしれません。

実際、交渉の場で、議論の参加者に新しいメンバー、特に若い女性が入ってくることによって、新しい視点や創造的な手法が生まれてくることが体験的に多いと感じます。フレッシュな視点によってイノベーションが生まれることは、サイバー技術やＡＩの分野でも顕著なのではないですか。繰り返しになりますが、多様なバックグラウンドをもつ人々を交えて議論をしていくことは、決定的に重要だと思います。

――最後に、これからを生きる若い世代に向けて、メッセージをお願いします。

中満　新しいテクノロジーに関する議論で、今後中核となっていくのは、おそらく「予防」という概念でしょう。国際人道法の枠組みで、不幸にして戦争になってしまったときのルールを考えていくことも大切ですが、私たちが最も考えなければいけないのは、やはり、何よりも紛争を起こさないようにすることです。そのためには、もっと包括的なアプローチを取っていかなければならないと思います。たとえば、過度の軍事支出を見直してリソースを捻出（ねんしゅつ）し、それを社会的な投資に振り分けていくことも、一つの方法です。

最後に申し上げたいのは、教育についてです。テクノロジーの時代ということで、コンピューター教育やテクノロジー教育が重要だと盛んに言われています。そのこと自体は否定しませんが、いま、地球が大きな転換期にあるなかで、子どもたち一人ひとり、若い人一人ひとりに考えてほしいのは、「人間というのは、何をもってして人間なのか」ということです。人間性の問題についてきちんと考え、人間中心という視点から、世界の未来を考えていってほしいと強く願っています。

★1　2001年、コフィー・アナン国連事務総長（当時）訪日の際に、緒方貞子（おがたさだこ）前国連難民高等弁務官が「人間の安全保障委員会」の設置を発表。2003年、緒方貞子氏とインドの経済学者アマルティア・センが共同議長を務めていた同委員会が作成した報告書において、「人間の安全保障」を「人間の生にとってかけがえのない中枢部分を守り、すべての人の自由と可能性を実現すること」と定義されている。

未来への展望

未知なる脅威とどう向き合うか

宮島　優

中満泉氏のインタビューで語られているとおり、国連では、２０１４年以降、対人地雷やクラスター爆弾など非人道的兵器を扱うＣＣＷ（特定通常兵器使用禁止制限条約）の枠組みの中で、自律型致死兵器システムの規制に向けた議論が続けられている。

会議では、「ＡＩが想定外の行動を取るリスクがある」「責任の所在が曖昧になる」など、規制を求める声が相次ぐ一方で、アメリカやロシアなど開発を進める国は、「ＡＩは人間よりも正確で兵士の負担を減らせる」などとして、法的な規制に反対している。

日本は、「完全自律型の致死性を有する兵器を開発しない」という立場を取りつつ、「人間の関与が確保された自律型兵器システムについては、ヒューマンエラーの減少や、省力化・省人化といった安全保障上の意義がある」としており、その見解は玉虫色だ。

２０１９年には、これまでの議論を受けた報告書が出され、「ＡＩ兵器の使用においては必ず人間が責任を負うこと」「開発や使用を巡っては国際人道法を遵守すること」などが盛り込まれたはじめての国際ルールが合意された。

しかし、このルールには法的な拘束力はなく、一部の国や国際ＮＧＯなどからは、歯止めにならないのではないかという見方も出ている。規制を巡る議論は２０２１年いっぱいまで続けられる予定で、国際社会がどこまで歩み寄れるのかが注目される。

「ストップ・キラーロボット」――声を上げ始めた若者たち

ＡＩ兵器の規制を巡っては、国際的な禁止条約の制定を目指して独自に動き出した人たちもいる。２０１９年秋、ニューヨークの国連本部に集まったのは、国際ＮＧＯ「キラーロボット反対キャンペーン」のメンバーたちだ。

「キラーロボット」とは、国連で議論されている自律型致死兵器システムのことを指す。メンバーたちは「ストップ・キラーロボット」を合言葉に、法的な枠組みでＡＩ兵器を禁止することを目標に啓蒙活動や政治家へのロビー活動を行っている。

同キャンペーンは、地雷廃絶運動で１９９７年にノーベル平和賞を受賞したジョディ・ウィリアムズ氏らが中心となって、２０１３年に創設された。キャンペーンの特徴としては、人権運動や軍縮に携わっていたNGOだけでなく、AIのエンジニアや科学者、哲学者など幅広い分野の人々が参加していることが挙げられる。

国連の壇上でスピーチしたのは、AIのエンジニアであるリズ・オサリバン氏だ。「私たちは、AIが時には魔法のようなスピードで進化を続けていることを目の当たりにしてきた」と技術者としての実感を語ったうえで、「自分たちの研究が軍事目的に使われることにとてもショックを受けている」として、早急に世界が協力して禁止条約をつくっていくべきだと訴えた。

オサリバン氏は、もともとAI開発を行うスタートアップ企業の社員だった。しかし、2018年、所属する会社がアメリカ国防総省の計画に参画していたことを知る。「プロジェクト・メイブン」と呼ばれる、ドローンが撮影した画像の解析にAIを役立てる極秘のプロジェクトである。計画には当時Googleなども参加しており、AIの軍事利用に対する抗議の声が上がっていた。

「AIは攻撃対象を識別するために使われるべきではない」

オサリバン氏は、CEOに軍事協力を行わないよう求める嘆願書を提出した。しかし、「軍事協力を否定できない」とする回答に、やむなく職場を去ることを決断したという。「その週末は泣いて過ごしました」と語ったオサリバン氏。その後、同じような問題意識を抱く仲間とともに、安全で透明性のあるテクノロジーの利用を目指して、キラーロボット反対キャンペーンに加わった。

現在、オサリバン氏は、エンジニアの立場からＡＩの功罪に向き合っている。２０２０年、新たな企業を立ち上げ、ＡＩの〝思考過程〟を監視するツールを開発している。

どうしてこの予測結果が導き出されたのかわからない――これまでＡＩの意思決定までの過程は、〝ブラックボックス〟と言われてきた。ＡＩは、結果に対する説明責任をもたないのだ。そこでオサリバン氏は、ＡＩがなぜその判断に至ったのか、〝思考過程〟を可視化する独自のプラットフォームを開発し、ＡＩの判断の根拠を人間が評価できる仕組みをつくった。人間の監督のもとでＡＩを制御していこうという、技術者ならではの挑戦である。

「未来は自分たちで守っていく」

「キラーロボット反対キャンペーン」は２０２１年8月現在、世界65か国にまで広がりを見せている。その勢いを後押ししているのが10代、20代の若者たちの活動である。

新型コロナウイルスが世界に猛威を振るうなか、国連での議論は延期が続いた一方で、若者たちは独自に対話を続けてきた。２０２０年の年末、国際問題を学ぶ学生やＮＧＯの職員、ジャーナリストなど20か国の若者たちがオンライン上に集い、現状への危機感が共有された。呼びかけたのは、キャンペーンに参加する日本の学生たちだ。

「デジタル外交」とも呼ばれるこの取り組み。若者たちは、それぞれの国の事情と照らし合わせながら、ＡＩの軍事利用について意見交換を行った。寄せられた声の一部を紹介したい。

イギリス／大学生／レイラ・マンソルベさん

「イギリスは、ＡＩ兵器の開発に積極的に関与しています。近い将来、12万人の軍人のうち3万人をロボットにするかもしれないと、軍の司令官が発表したのです。ＡＩ兵器の導入は戦争をリスクのないものにするというよりも、戦争の敷居を低くして世界の平和と安全を脅かすことになるのではないか、不安があります」

フィリピン／医療従事者／ザイラ・アリア・アンパトゥアンさん

「フィリピンは国内外からの安全保障上の脅威に悩まされています。私の家の近くでも過激派組織ＩＳ（イスラミックステート）に触発されたグループによるテロ攻撃がありました。私たちはこのような恐怖と一緒に暮らしています。もしＡＩ兵器がテロ組織に渡ったらと思うと、本当に恐ろしいです」

ハンガリー／大学生／カトナ・イレシュ・ラズロさん

「AI兵器が子どもにどのような影響を与えるのか、特定のコミュニティにどのような影響を与えるのか、国際的な平和と安全保障への影響や、自分たちの故郷や地球への影響も考えてほしいです。人間が平和に生きるようプログラムされたAIは、戦争を過ちとみなすでしょう。でも、戦争のためのAIをつくったら、平和に生きることが過ちとなってしまうのでしょうか」

日本／大学院生／田辺アリン・ソヴグランさん

「日本政府に二つのことを訴えたいと思います。一つは終わりの見えない軍拡競争から日本と地域を守るためにも日本がルールメーカーとして、いまよりも一歩踏み込んで、AI兵器の禁止条約の制定を支持してください。二つ目は外交面で影響力をもつアジアの国として、いまよりも積極的に議論に参加し、市民社会とともに国際会議を開催してください。日本には、『鉄腕アトム』という（ロボットの少年を主人公にした）国民的アニメがあります。その主題歌には、『心やさしい　ラララ　科学の子…心ただしい　ラララ　科学の子…今日も　アトム　人間まもって』という一節があります。日本がアトムの心を引き継ぎ、平和の種をまくことを期待しています」（「鉄腕アトム」作詞：谷川俊太郎、作曲：高井達雄）

3時間近くに及んだ会議では、世界中の若者たちから多様な意見が出された。それぞれの主張から感じたのは「自分たちの未来は自分たちで守っていく」という強い意志だ。そして、若者たちはオンラインでの議論にとどまらず、こうした意見を各国政府に直接届ける活動にも取り組み始めている。

2021年1月、会議に参加した日本の学生たちの姿は、条約交渉の窓口である外務省にあった。これまで続けてきた対話を報告書にまとめ、「日本が積極的に国際ルールの形成をリードしていってほしい」と伝えたのだ。この話し合いを機に、市民が自由に参加できる独自の国際会議を主催することが検討されることになった。

2021年1月に発効した核兵器禁止条約も、「声を上げれば世界は変えられる」と信じて活動を続けてきた若者たちの思いが原点にあった。2007年、オーストラリア・メルボルンで発足した国際NGO、ICAN（核兵器廃絶国際キャンペーン）である。各国政府にはたらきかけを行ったのは、20〜30代を中心とした若い世代だった。その声は、130か国まで広がり、2017年に国連は核兵器禁止条約を採択。ICANは、その年のノーベル平和賞を受賞した。

若者たちの活動に共感し、キャンペーンに参加した被爆者のサーロー節子(せつこ)氏は、受賞式のとき、自らの被爆体験と若者たちの活動を重ね合わせながら、こんな言葉を残している。

「あきらめるな、押し続けろ。光のほうに這っていくんだ」

混迷極める、グレーゾーン戦争への対応

ＡＩ兵器の規制に向けて世界が動き出した一方で、グレーゾーン戦争への対応はほとんど手がつけられていないのが現状である。

２０２１年７月、アメリカのバイデン大統領がアメリカ情報機関を統括する国家情報長官室に向けた演説の中で「ロシアは来年のアメリカ中間選挙に関連して、偽情報を流す工作を行っている。これは主権の侵害だ」と語り、ＡＩの独壇場とも言われるサイバー攻撃が「戦争の原因となりうる」と強い危機感を示した。

ＡＩを利用したサイバー攻撃については、どこまでの攻撃を軍事的な行動とみなすのか、攻撃の主体は認定できるのか、定義そのものについてもさまざまな解釈がある。

規制を行うにしても、難しい問題が存在する。本来、多くのＡＩ技術は、私たちの暮らしの利便性を高めるために開発されている。スマートフォンのロックを解除する顔認証の機能が、攻撃対象を選別する軍事技術になりえるように、民間利用と軍事利用の線引きは曖昧で、技術自体を規制することは困難だ。

たとえば、グレーゾーン戦争においてデマの拡散に使われると懸念されている、フェイク動画の技術もその一つだ。線引きの難しさを痛感したのが、ロンドンにあるＡＩ企業シンセシア社を取材したときだった。この会社では、実在する人間の顔や声のデータを基に、ＡＩが簡単にその人物の「アバター（分身）」をつくり出す技術を開発している。

この技術を一躍有名にしたのが、元サッカー・イングランド代表のデイビッド・ベッカム氏のアバターだ。ＡＩがつくり出した動画は、あたかも本物のベッカム氏が語りかけるように9か国語もの言語を自在に操り、発展途上国の人々に向けて、それぞれの言語でマラリア撲滅を訴えかけた。この啓発動画を作成した同社ＣＥＯビクター・リパルベリ氏は、「もちろん悪用すれば甚大な影響を与えかねないが、技術は使い方次第だ」と語る。

ＡＩ技術そのものに規制をかけることが難しいなか、中満氏も語っていたように、いま国連では技術を使う「国家の責任」を問うことでグレーゾーン戦争と対峙しようとしている。２０２１年3月、サイバーセキュリティに関する国連の専門家グループが発表した報告書が示したのは、これまでの軍縮のアプローチとは大きく異なる新しい提案であった。

報告書には「国家の責任ある行動規範」が盛り込まれ、個人のハッカーが独自にサイバー攻撃を行った場合でも、その攻撃の責任を国家に課すといったルールが設けられた。テクノロジー自体の使用を禁止するのではなく、どのようにテクノロジーを使うべきか、その行動には誰が責任をもつかといった「使う側」のルールを明確にしていこうというアプローチである。問われているのは、国家であり、私たち一人ひとりの行動なのだ。

〝命の重み〟は人間にしかわからない

この先、私たちはAIとどう向き合っていくべきか、ここで、私なりの考えを記しておきたい。

キラーロボット反対キャンペーンを取材していたとき、メンバーの一人が、自分たちの行動指針にもなっていると、ある軍人の行動について教えてくれたことがあった。その人物とは、2017年に77歳で亡くなった旧ソ連軍の元将校、スタニスラフ・ペトロフ氏だ。

米ソ冷戦下で核戦争の危機にあった1983年9月。ソ連軍の人工衛星を使った早期警戒システムが、アメリカから4発の核ミサイルが発射されたと検知し、ただちに核による報復攻撃が指示されたことがあった。人類の存亡がかかった、そのスイッチを任されたのがペトロフ氏だ。猶予は15分ほどだったという。

しかし、彼はコンピューターの指示には従わず、自らの判断で報復攻撃の中止を決めた。そして、15分が経過。核爆発は起きなかった。ミサイルの検知は、機械の誤作動だったのだ。

2017年に亡くなった旧ソ連軍の元将校、スタニスラフ・ペトロフ氏
（AP／アフロ）

なぜ、ペトロフ氏は核のスイッチを押さなかったのか。冷戦が終わった2006年、彼は「世界を救った男」としてアメリカに招かれ、スピーチを行い当時の判断を振り返った。

「自信なんてありませんでした。でも、ボタンを押していたら、皆がこうして元気に生きていくことはできなくなる、それだけはわかりました。自分は、英雄でもなんでもない。ただ人としての判断をしただけです」

もしAIが、同じ状況に置かれて判断をしていたら、どうなっていただろうか――。

ペトロフ氏の行動が伝えているのは、「人間の判断の重要性」だけではない。人間は、心の痛みや悲しみ、そして、命への敬意から、時に判断を下すという真実である。

いまテクノロジーの進歩は、人間が制御できない水準にまで達しようとしている。その不可逆的な潮流のなかで、「自分にいったい何ができるのか」と感じる人もいるだろう。しかし若者たちの行動が教えるとおり、現状を知り未来に思いを馳せることが、世界を変える一歩になると信じている。

テクノロジーは戦争をどう変えてきたのか、どう変えるのか

戦争は、軍事技術の進歩とともに変化を遂げてきた。

新たな軍事技術を獲得し、新たな戦術を生み出した国家こそが、その時代の覇権を握ってきた。一方で、新たな軍事技術は、戦争の悲劇を拡大した。

この１００年、テクノロジーが戦争をどのように変え、そして人類は直面した危機に対し、いかなる対処をしてきたのか。最後に、その歩みをごく簡単に振り返りたいと思う。

新兵器が次々と登場し、人類に未曽有の被害をもたらした、第一次世界大戦。「大量破壊兵器のはしり」と言われ、１分間に数百発の弾丸を発射する機関銃が使用された。たった１門で、一つの部隊に匹敵するほどの威力を誇ったこの兵器から身を守るため、兵士は塹壕を掘って身

を潜めた。すると、今度は空から攻撃する爆撃機や、塹壕を踏みつぶしながら進む戦車が登場。人間が主体だった、それまでの戦場の姿を大きく変えた。毒ガスがはじめて使われたのも第一次世界大戦である。

莫大な犠牲者を出した結果として成立したのが、国際連盟規約（1919年）であり、はじめて戦争放棄が明文化された不戦条約（1928年）である。これにより自衛目的以外の戦争は、国際法に照らし合わせて、違法とみなす考え方が定着していった。

しかし、このわずか20年後、人類はふたたび地獄を見た。第二次世界大戦。きっかけとなったのが、日本やドイツが戦意を表明せずに行った軍事行動だ。不戦条約により自衛目的以外の戦争は違法化されていたことから、日本やドイツは、外見上は相手国との外交関係を維持しつつ、「事変」や「進駐」などといった名称を用いて、宣戦布告を行わないかたちで国家による暴力を推し進めたのだ。その結果、世界全体で5000万とも6000万ともされる命が失われ、人類史上最大の破壊力をもつ核兵器が広島と長崎に落とされることになった。

第二次世界大戦を防げなかった反省から、国際連合（1945年）が組織される。戦争に加えて武力紛争を違法化。軍事力に制限をかけて国際社会で監視していく体制が構築された。このときにまとめられた国連憲章は、「一生のうちに二度まで言語に絶する悲哀を人類に与えた戦争の惨害から将来の世代を救」うためとして（国連憲章・前文より）、全19章、111条のルールが定められた。第一章第一条一項には、次のように記されている。

　国際の平和及び安全を維持すること。そのために、平和に対する脅威の防止及び除去と侵略行為その他の平和の破壊の鎮圧とのため有効な集団的措置をとること並びに平和を破壊するに至る虞のある国際的の紛争又は事態の調整又は解決を平和的手段によって且つ正義及び国際法の原則に従って実現すること。

しかし、その後の歴史が示すように、戦争はなくなっていない。それでも人類は戦争を抑止するため、民間人の被害を減らすため、ルールをつくり続けてきた。

毒ガス、生物兵器、対人地雷、クラスター爆弾、そして核兵器――。新たな技術が惨禍を招くたびに、そうした兵器を法的に制限・禁止し、その責任を問う努力を続けてきた。

いまふたたび、人類の叡智が問われているのではないだろうか。私たちは、科学技術について、絶対視することなく、世界に何をもたらしてきたかを考え続けなくてはならない。そして現在、科学技術が結び付いているものを見つめ、その先で何が起きようとしているのか悟らなくてはならない。

これ以上、多くの犠牲を払うことになる前に。

特別寄稿

多様性が私たちの未来をつくる

スプツニ子！

「テクノロジーの大衆化」は何をもたらすか

米空軍で新技術の導入に携わっていたウィル・ローパーさんに、ＡＩ兵器についてのインタビューを行ったときのこと。準備していた質問にすべて答えてもらったあとで雑談をしていたら、彼が、「あなたは他に何を不安に思う？」と聞いてきたんです。

「実は、バイオテクノロジーによって生物兵器がこれから多く生みだされるのではないか、と心配しています」と答えました。私が念頭に置いていたのは、兵器としての感染症のウイルスでした。すると、彼は同意して、「米軍もまさに、重要なテーマとしてその問題に注力しているんだ」という趣旨の答えを返したと記憶しています。

２０２１年現在、新型コロナウイルス感染症によって、いまなお世界各国の社会機能は麻痺し、経済は停滞し、多くの人命が失われています。
もしこうした人類に危機をもたらすウイルスが、悪意ある人々によって設計され、環境中に放たれたら……。本書では、馬痘ウイルスの人工合成の研究を取り上げていますが、今回のようなパンデミックが、今後人為的に引き起こされる可能性もあながちゼロではないと思うのです。

いま、日曜大工の感覚でゲノム編集を行う「ＤＩＹバイオ」の動きも世界中で加速しています。クリスパー・キャス9が、バイオテクノロジーに対してのアクセシビリティを一気に引き上げたわけです。「バイオハッカー」を名乗るジョサイア・ゼイナーさんも、新型コロナのワクチンが特権的な人々の寡占状態にあると考え、バイオテクノロジーを庶民に行き渡らせる活動をしています。

１９９０年代、かつてインターネットはユートピアをもたらすかのように語られていました。もちろんインターネットは、私たちの暮らしにすばらしい変化をもたらしましたが、一方で、よくないこともたくさん起きました。昨今で言えば、ＳＮＳ上での際限のない誹謗中傷、フェイクニュースやデマ情報の拡散。これは「テクノロジーの大衆化」に伴う負の側面です。

現在、大衆化しつつあるゲノム編集も、これからデメリットが出てくる可能性があります。それはもしかしたら、インターネットに起きたことをはるかに超えるレベルのものかもしれないのです。

私は、バイオテクノロジーへのアクセシビリティが高まっていることに不安を隠せません。目的次第で技術はどのようにでも使えてしまうのですから、現状を性善説に則って手放しで称賛することはできないでしょう。今後、一定の規制を検討する必要があると考えています。

2016年に、生命医学系学術誌『EMBO Reports』に一つの記事が掲載されました。タイトルは、「FBIとバイオハッカー その特異な関係」。

MITでは、2003年から、「iGEM」という合成生物学のコンテストを開催していますが、記事によれば、2009年に、FBIが展示ブースとワークショップのスポンサーを務めており、さらに翌年、FBIは合成生物学についてカンファレンスを主催し、アメリカのバイオハッカーたちも参加したというのです。

思うに、バイオハッキング・ムーブメントは、当時のFBIにとってセキュリティ上の懸念材料となっており、バイオハッカーのコミュニティにはたらきかけ、ネットワーク化を試みたということなのでしょう。記事は、バイオハッカーたちの反応は賛否両論だったと伝えており、やはり政府の干渉に慎重な姿勢を示す人も少なくなかったようです。

今後、「バイオテクノロジーと治安維持」という問題を考えていくうえで、非常に示唆に富む記事だと言えるのではないでしょうか。

ＡＩの判断は絶対ではなく、ＡＩ兵器は認められない

アクセシビリティという点では、ＡＩ兵器も同様の問題を抱えています。ＡＩドローン兵器に活用されている画像認識や自動操縦のソフトウェアは、民間でも広く活用されているものです。画像認識はスマートフォンの顔認証をはじめとしていたるところで使われていますし、自動操縦も多くの用途で使われており、特に２０２１年東京オリンピック開会式のドローン・パフォーマンスは大きな注目を集めました。

プログラミングの世界では、一度コードを書くと、それをライブラリー(汎用性の高いコードをまとめたもの)として、オープンソースで公開するという文化があります。ライブラリーから入手した複数のアルゴリズムを組み合わせ、武器をドローンに搭載することで、開発に国家規模の技術力・経済力が必要となる核兵器よりずっと容易にＡＩ兵器は製造できてしまうのです。

ＡＩの軍事利用については、ローパーさんが、人間とＡＩで最良のチームをつくるという趣旨の発言をしていたことも印象的でした。重要な最終判断は人間が行うというのが彼の考えでした。インタビューの中で話題に出ましたが、ＡＩに誤認識をさせることが技術的に可能であることも、そのような協働体制を構想する理由の一つです。そして、これはよく言われていることですが、ＡＩの判断自体が絶対的なものでないことも理由として挙げられるでしょう。

ＡＩの判断が誤ったり顕著な偏りを見せたりするケースの、代表的な原因は次のようなものです。①アルゴリズムそのものが間違っていたり、バグが含まれていたりする場合　②正義や善悪など社会的な通念が変化して、ＡＩのアルゴリズムに修正が必要な場合　③ＡＩが学習するデータセットに偏りがある場合。

２０１８年、Ａｍａｚｏｎが開発していたＡＩ採用システムに女性差別を行うリスクの存在が判明し、運用を取りやめたとのニュースが話題を呼びました。ＡＩに10年分の履歴書のデータを学習させたところ、履歴書に「女性」と記載されている人物に低評価を下したのだといいます。理由は簡単で、過去にＡｍａｚｏｎが男性を多く採用していたためにＡＩが「女性は採用しない方がよい」と学習してしまい、女性であるだけで自動的に減点していたというのです。

このように、社会に存在するバイアスをデータからそのまま〝正解〟として学んでしまうこと以外にも、次のようなリスクが考えられます。多くのＡＩは基本的に、プログラマーが組んだコードに沿って計算しているだけですので、プログラマーの判断の基準がおかしかったり判断そのものにバイアスがかかっていたりすることがあるのです。

ＡＩ兵器の話に戻しましょう。対象を特定し追跡し攻撃する——。これをＡＩに委ねる「リーサル・オートノミー」は、私としては認められません。ＡＩの下す判断や提供する情報が本当に正しいのかどうかは、人間の目で常にチェックすることが最善です。ＡＩをサポート役として位置付けるべきであるというローパーさんの話は、納得できるものでした。

サイエンス界のジェンダーギャップ

私は大学で、数学とコンピューターサイエンスを学んだのですが、科学の世界が男性中心に回っていることに驚かされました（卒業後、社会全体がそうなのだと気づきましたが）。通っていたのはイギリスの大学でしたが、周りを見渡すと、クラスメートも先生も男性ばかり。もっと言えば、白人男性ばかりでした。そのような現状を目の当たりにして、「これだけ偏っていると、研究の方向性にも影響があるのではないか」と直感的に不安を覚えた記憶があります。

アメリカのＦＤＡ（食品医薬品局）が、１９７７年に、医薬品の臨床試験のためのガイドラインを定めています。このガイドラインにおいて、妊娠の可能性のある女性は治験の対象外とされました。当時のアメリカ議会は、これに対し、女性は自分の妊娠に関するリスクやベネフィット（恩恵、便益）を自分で選択する権利をもつべきだとしていたようです。これを受けて、１９９３年、ＦＤＡはガイドラインを見直し、妊娠の可能性のある女性も対象に含め、そのデータを分析して性差についても評価することを決めました。しかし実に十数年ものあいだ、女性のデータは医薬品の治験をはじめとする臨床研究に、まったく活かされていなかったのです。

もともと1977年のガイドラインがそのように治験の対象を定めた主な理由は、将来生まれてくる子どもに与える影響について懸念があったためのようですが、改正にあたっては、①「すべての女性が子どもを産む」という前提　②「治験中の女性が責任をもって避妊ができない」という判断　③「治験が女性にもたらす恩恵より、胎児のリスク回避を優先」した判断などを問題視したようです。

この事例に象徴されるとおり、科学の世界では非常に長いあいだ、男性の身体が〝スタンダード〟として研究され、女性についての研究データがかなり欠けていました。その結果、さまざまな病気の性差についての研究が進んでいないことが指摘されています。たとえば、女性は心臓疾患で亡くなる確率が男性よりも高く、心臓発作前に起きやすい痛みの箇所や症状も男女で違います。データの蓄積・分析・評価が不十分だと、女性に対する誤診や副作用のリスクが、男性よりもずっと高くなってしまうのです。

繰り返しになりますが、サイエンスの研究者の中で、男性の占める割合はとても多いです。治験の偏り、論文の数、研究内容、研究費の偏り……。ジェンダーギャップは歴然と科学の世界に存在しています。

ゲノム編集と女性の権利

島薗進先生へのインタビューにおいて、ゲノム編集を巡る生命倫理の問題についてお話を伺うなかで、体外受精の話題が出ました。ここで、女性の視点からも、私なりに論点を補足しておきたいと思います。

着床前診断の一つである、「ＰＧＴ－Ａ（着床前胚染色体異数性検査）」という検査をご存じでしょうか。体外受精によって成立させた受精卵を子宮に移す前に、流産の原因となる染色体異常の有無を調べるものです。欧米では広く行われていたＰＧＴ－Ａですが、日本では「命の選別につながる」との理由から認められていませんでした。

確かに、ＰＧＴ－Ａは、「移植する受精卵の選択」というプロセスを含みますので、「命の選択」と言われても仕方のないところはあります。しかし私は、不妊治療を続けている人、流産を何度も繰り返してしまう女性の苦しみや不安にも寄り添いたいと考えます。ようやく授かった子どもと無理やり引き離される流産が、女性に与える身体的・精神的ダメージは計り知れません。「命の選別につながる」ことを避けるため、母体が流産を繰り返すことを許容するのは、果たしてどこまで倫理的だと言えるのでしょうか。

日本での状況が変化したのは、２０１８年のことです。ＰＧＴ－Ａは、不妊に悩む人たちの認可を求める声の高まりから、臨床研究から医療行為へと移行しました。新たな生殖補助医療を進める際には、生命倫理の観点からの議論を慎重に行うとともに、女性の権利や母体への負担も考慮することを決して忘れてほしくないと思います。

２０１６年、イギリスのフランシス・クリック研究所が、ヒトの受精卵に対してゲノム編集を行う基礎研究について、不妊治療の監督官庁であるＨＦＥＡ（ヒト受精・発生学委員会）から実施承認を得たと発表しました。研究は、受精卵を母胎に戻さないことを前提に、不妊治療に役立てる目的で承認されました。それまで、複数の中国の研究グループが、ヒト受精卵へのゲノム編集を行ったことを発表していましたが、国が正式に承認したのは、これがはじめてだったと言われています。

ゲノム編集の不妊治療への活用については、マウスを対象とする基礎研究がほとんどで、私の知る限り臨床研究まで進んでいるものはありません。しかし、今後、ゲノム編集を応用した不妊治療が可能になった場合、それを利用すべきかどうかという問題には人それぞれ意見が異なるところだと思います。

ＰＧＴ－Ａは流産しづらい受精卵を「選択する」医療行為ですが、受精卵にゲノム編集を行うことで、流産するリスクを下げられるとしたらどうでしょうか。ゲノム編集以外の医療行為では出産を望めない人たちが技術を使うことと、たとえば、自分の望む属性を子どもにもたせる「デザイナー・ベビー」では、同じ遺伝子操作でもその切実さという点においてまったく意味合いが異なります。苦しんでいる人にとっては、ゲノム編集が救いとなる可能性もあるわけです。

遺伝子を改変したあとの受精卵を母胎に戻し出産させることは、現在の倫理観では認められないと思いますが、デザイナー・ベビーにつながらない治療行為としてなら、議論の余地が生まれるのではないかというのが、私の意見です。

倫理面の議論が十分になされ、ヒト受精卵へのゲノム編集が認められたとき、不妊治療のほかに、どのような臨床応用が考えられるでしょうか。それは、たとえば、致死性が高く根治の難しい遺伝子疾患に対して用いられるかもしれません。

この秋、私は子どもを授かりました。無事に出産を終え、子育てに追われる日々を過ごしています。おかげさまで、わが子も元気にすくすくと育ってくれています。

私は今回、子どもの障がいについての信条に基づく判断から、出生前診断を行いませんでした。しかし、もし自分の子どもに致死性の高い遺伝性疾患が高い確率で発症することが、受精卵の時点で判明したらどうでしょうか。そしてその遺伝子変異をゲノム編集で改変することが可能であり、認められていたとしたら……。

自分が子どもの遺伝子を変えないでいることで、その子が苦しみ、いずれ死んでしまうとわかった場合、遺伝子操作をしない自信が私にはありません。親は、子どもに重大な疾患や病気が見つかったら、それを治すために全力を注ぐものですが、果たして、それとどう違うのか。生まれる前に〝変える〟、生まれたあとに〝変える〟。将来、その選択に、人々が思い悩む時代が訪れるかもしれません。

またその際、妊娠・出産という極めて個人的な行為に国家が介入してくる可能性も否定はできません。バイオテクノロジーがどのように進化し、応用されていくのか慎重に見ていく必要があります。優生思想へとつながるような兆候が少しでも見られるようなら、それを斥(しりぞ)けなければならないでしょう。

私たちは、命に対して謙虚であるべきだ——。

島薗先生と言葉を交わすなかで、改めて気づいたことです。

テクノロジーは神か悪魔か

2013~2017年にかけて、MITメディアラボに勤務しアメリカで活動していた際、交流していたボストンの研究者やシリコンバレーのコミュニティにはテクノロジーのポジティブな面ばかりを強調する人が多くいました。「不老不死や空飛ぶ車が実現する!」とか、「ブロックチェーンで経済革命が起きる!」とか。

しかし2021年のいま、私たちは楽観的ではいられないとつくづく思うのです。

地球温暖化がかつてないレベルで深刻化し、洪水・台風・山火事などの自然災害が頻発していること。インターネット上の混沌が続き、真実と嘘の境界線が曖昧になっていること。大国間の対立の激化。そして、ゲノム編集によるウイルスの人工合成のリスクやAI兵器の蔓延(まんえん)……。

2020年の厚生労働省の集計によれば、日本人の平均寿命は女性が87・74歳、男性が81・64歳。私の子どもが寿命を全(まっと)うすれば、少なくとも22世紀まで生きることになります。親になる人間として、「いまの子どもたちがこれから生きていく10年先、数十年先、世界は大丈夫なのだろうか」と不安がよぎることもあります。

私たちは、これからどう生きていくべきなのでしょうか。

哲学者のニック・ボストロムさんは、本書に収められたインタビューにおいて、AI兵器の国際的な規制に関連して次のように述べています。

「差し迫った人類の生存に関わるさまざまなリスクの多くは、私たちが国際的な無秩序の問題を解決できれば、もしくは対立を平和裏に解決するための機動性があれば、なくなるか、あるいは劇的に低くなるでしょう。地球温暖化のような危機も、本質的には同じです。それは単に、世界規模の協調の問題なのです」

思わず首を縦に振りました。２０３０年、そしてさらにその先の未来に向けて、世界の軌道修正を図るためには、国際協調こそ重要で、世界各国が足並みをそろえられるかにかかっているということだと思います。

その意味では、まさに国連において、軍縮についての国際的なレギュレーションづくりを牽引している中満泉さんのお話は、たいへん刺激的なものでした。中満さんのお話の中でことさら印象的だったのは、議論を行うメンバーの構成には多様性をもたせるのが重要だと強調されていたことです。これまで、軍縮についての議論は男性中心に行われていたが、これからは多様なバックグラウンドをもつ人たちが議論に加わるべきだと。

これはテクノロジーを巡る議論でも同じことが言えるはずです。性別・人種・年齢・職業にとらわれない多様性が今後より求められていくと思います。

本書のサブタイトルは、「テクノロジーは神か悪魔か」。

答えは明白で、「神にもなるし、悪魔にもなる」です。残念ながら、まるで神のように、万能というわけにはいかないでしょう。次の瞬間には悪魔に変わっているかもしれません。

テクノロジーは人間が生み出し、人間が使うもの。つまり、テクノロジーが神になるか、悪魔になるかは人間に委ねられています。しかし、そのときの「人間」は、男性ばかり富裕層ばかりという偏った〝スタンダード〟ではなく、人類本来の多様性をもっていてほしいと思うのです。

（構成・編集部）

第2部　AI戦争　果てなき恐怖

- 伊藤 寛『サイバー戦争論 ナショナルセキュリティの現在』原書房、2016年
- 長 有紀枝『入門 人間の安全保障 恐怖と欠乏からの自由を求めて』中公新書、2021年
- 栗原 聡『AI兵器と未来社会 キラーロボットの正体』朝日新書、2019年
- 佐藤丙午「致死性自律兵器システム(LAWS)をめぐる諸問題」『国際安全保障』第42巻第2号所収、国際安全保障学会、2014年
- ジム・スキアット著、小金輝彦訳『シャドウ・ウォー 中国・ロシアのハイブリッド戦争最前線』原書房、2020年
- スティーヴン・ホーキング著、青木 薫訳『ビッグ・クエスチョン 〈人類の難問〉に答えよう』NHK出版、2019年
- 『世界』2019年10月号(「特集1 AI兵器と人類」)、岩波書店
- 多湖 淳『戦争とは何か 国際政治学の挑戦』中公新書、2020年
- ニック・ボストロム著、倉骨 彰訳『スーパーインテリジェンス 超絶AIと人類の命運』日本経済新聞出版社、2017年
- 日本安全保障戦略研究所編著『近未来を決する「マルチドメイン作戦」 日本は中国の軍事的挑発を打破できるか』国書刊行会、2020年
- 東 大作編著『人間の安全保障と平和構築』日本論評社、2017年
- 廣瀬陽子『ハイブリッド戦争 ロシアの新しい国家戦略』講談社現代新書、2021年
- ポール・シャーレ著、伏見威蕃訳『無人の兵団 AI、ロボット、自律型兵器と未来の戦争』早川書房、2019年
- Human Rights Watch, "'Killer Robots': Russia, US Oppose Treaty Negotiations," 2019, at https://www.hrw.org/news/2019/08/19/killer-robots-russia-us-oppose-treaty-negotiations

特別寄稿　多様性が私たちの未来をつくる

- FDA, "For Women: The FDA Gives Tips to Prevent Heart Disease," at https://www.fda.gov/consumers/consumer-updates/women-fda-gives-tips-prevent-heart-disease
- FDA, "Gender Studies in Product Development: Historical Overview," at https://www.fda.gov/science-research/womens-health-research/gender-studies-product-development-historical-overview
- Howard Wolinsky, "The FBI and Biohackers: An Unusual Relationship," *EMBO Reports,* 17(6), 2016.
- R. B. Merkatz et al., "Women in Clinical Trials of New Drugs -- A Change in Food and Drug Administration Policy," *The New England Journal of Medicine,* 329(4), 1993.

*URLは2021年10月時点のものです。

主な参考文献

第1部　ゲノムテクノロジーの光と影

- 青野由利『ゲノム編集の光と闇　人類の未来に何をもたらすか』ちくま新書、2019年
- 石井哲也『ヒトの遺伝子改変はどこまで許されるのか　ゲノム編集の光と影』イースト新書Q、2017年
- NHK「ゲノム編集」取材班『ゲノム編集の衝撃　「神の領域」に迫るテクノロジー』NHK出版、2016年
- 小松美彦・市野川容孝・田中智彦編著『いのちの選択　今、考えたい脳死・臓器移植』岩波ブックレット、2010年
- 標葉隆馬『責任ある科学技術ガバナンス概論』ナカニシヤ出版、2020年
- 四ノ宮成祥・河原直人編著『生命科学とバイオセキュリティ　デュアルユース・ジレンマとその対応』東信堂、2013年
- 四ノ宮成祥・木下 学編著『いざという時に役立つ！　すぐに分かるCBRN　事態対処Q&A』イカロス出版、2020年
- 須田桃子『合成生物学の衝撃』文春文庫、2018年
- J. Martin-Laffon et al., “Worldwide CRISPR Patent Landscape Shows Strong Geographical Biases,” *Nature Biotechnology*, 37(6), 2019.
- Julian Savulescu, “Press Statement: Monstrous Gene Editing Experiment,” November 26, 2018, at http://blog.practicalethics.ox.ac.uk/2018/11/press-statement-monstrous-gene-editing-experiment/
- Julian Savulescu, “The Ethics of ‘Gifted’ Genes: the Road to Gattaca?” July 30, 2015, at https://theconversation.com/the-ethics-of-gifted-genes-the-road-to-gattaca-45153
- The National Academies Press, *Heritable Human Genome Editing*, 2020, at https://www.nap.edu/catalog/25665/heritable-human-genome-editing
- T. Tan et al., “Chimeric Contribution of Human Extended Pluripotent Stem Cells to Monkey Embryos ex vivo,” *Cell*, 184(8), 2021.
- WHO Expert Advisory Committee on Developing Global Standards for Governance and Oversight of Human Genome Editing, “Human Genome Editing : Position Paper,” July 12, 2021, at https://www.who.int/publications/i/item/9789240030404
- Y. Zeng et al., “Correction of the Marfan Syndrome Pathogenic FBN1 Mutation by Base Editing in Human Cells and Heterozygous Embryos,” *Molecular Therapy*, 26(11), 2018.

第5回／AI戦争 果てなき恐怖

（2021年7月11日放送）

出演	森 七菜、中原丈雄、赤澤巴菜乃、三上 勤
インタビュアー	スプツニ子!
語り	井上裕貴
声の出演	青二プロダクション

〈ドラマパート〉

軍事技術監修	佐藤丙午
映像デザイン	服部竜馬
美術	清水美代子
撮影	髙橋秀典
CG制作	秋元純一
VFX	渡邉由紀、岩上貴士
アニメーション	水井 翔
脚本	米澤伸子
演出	関 正和、谷口尊洋
プロデューサー	伊達吉克

〈ドキュメンタリーパート〉

撮影	小田中秀彰
照明	井村正美
音声	緒形慎一郎
映像技術	山田高央
VFX	釣木沢 淳
CG制作	杉浦麻希子
リサーチャー	山田功次郎、岡田恵理
コーディネーター	小杉美樹、Ayten Aliyeva、Nelli Rafaelyan
取材	宮智麻里、亀井昌子
編集	森谷 稔
音響効果	吉川陽章
ディレクター	宮島 優、岡田朋敏
制作統括	三村忠史、松木秀文

NHKスペシャル 2030 未来への分岐点

〈Season 2〉

テーマ音楽	「2992」millennium parade／曲:常田大希　詞:ermhoi
タイトル映像	Whatever

第4回／“神の領域”への挑戦 ゲノムテクノロジーの光と影

（2021年6月6日放送）

出演	森 七菜、前川泰之
インタビュアー	スプツニ子!
語り	井上裕貴
声の出演	81プロデュース

撮影	小田中秀彰
照明	井村正美
音声	緒形慎一郎
映像デザイン	服部竜馬
美術	清水美代子
VFX	渡邉由紀、中川貴史
CG制作	杉浦麻希子、田中大輔
アニメーション	水井 翔
ドラマ演出	谷口尊洋
リサーチャー	桂ゆりこ、繁昌久美
コーディネーター	西前 拓、小杉美樹、箕輪洋一
取材	高澤圭子、亀井昌子
映像技術	吉村 惇
音響効果	東谷 尚
編集	高橋寛二
ディレクター	堀内健太、森内貞雄
プロデューサー	伊達吉克
制作統括	松木秀文

■ はじめに

松木秀文 まつき・ひでふみ

大型企画開発センター チーフ・プロデューサー。1998年、NHK入局。静岡局、広島局、沖縄局などを経て現職。現在、NHKスペシャルの大型シリーズを中心に番組制作にあたる。

■ 第1部「いま何が起きているのか」

堀内健太 ほりうち・けんた

報道局社会番組部 ディレクター。2012年、NHK入局。徳島局を経て現職。経済・テクノロジー・科学の分野を中心に番組を制作。主な担当番組にNHKスペシャル「マネーワールド 資本主義の未来」「デジタルVSリアル」「全論文AI解読 新型コロナ いま知るべきこと」など。

■ 第1部「未来への展望」

森内貞雄 もりうち・さだお

報道局社会番組部 ディレクター。2006年、NHK入局。旭川局、報道局、大型企画開発センターなどを経て現職。NHKスペシャル、クローズアップ現代+などの番組制作を行う。

■ 第2部「いま何が起きているのか」「未来への展望」

宮島優 みやじま・すぐる

報道局社会番組部 ディレクター。2012年、NHK入局。山口局を経て現職。主な担当番組にNHKスペシャル「未解決事件 File.05 ロッキード事件」、クローズアップ現代+「"フェイクニュース"暴走の果てに ある外交官の死」「ドローン兵器の衝撃 新たなテロの時代」など。

■ インタビュアー/特別寄稿

スプツニ子!

アーティスト。英国ロンドン大学インペリアル・カレッジ数学科および情報工学科を卒業後、英国王立芸術学院(RCA)デザイン・インタラクションズ専攻修士課程を修了。2013年よりマサチューセッツ工科大学(MIT)メディアラボ助教に就任し、Design Fiction Groupを率いた。東京大学大学院特任准教授を経て、現在は東京藝術大学デザイン科准教授。著書に『はみだす力』(宝島社)。

装幀	小口翔平+奈良岡菜摘(tobufune)
インタビュー構成	加藤裕子(ニック・ボストロム氏のインタビュー構成は編集部)
図版作成	手塚貴子
校閲	竹内春子(東京出版サービスセンター)
DTP	滝川裕子
編集協力	大坪サトル、酒井清一、太宰光子
編集	井上雄介

2030 未来への分岐点 II

テクノロジーは神か悪魔か

2021年11月25日　第1刷発行

編著者　NHKスペシャル取材班
©2021 NHK
発行者　土井成紀
発行所　NHK出版
〒150-8081 東京都渋谷区宇田川町41-1
電話 0570-009-321（問い合わせ）　0570-000-321（注文）
ホームページ https://www.nhk-book.co.jp
振替 00110-1-49701
印刷　三秀舎、大熊整美堂
製本　ブックアート

Printed in Japan
ISBN 978-4-14-081880-0 C0036